UNIVERSALE
ECONOMICA
FELTRINELLI

CW00418942

ALESSIA GAZZOLA

Non è la fine del mondo

ovvero

La tenace stagista

ovvero

Una favola d'oggi

Prima edizione ne "I Narratori" maggio 2016
Prima edizione nell'"Universale Economica" novembre 2017

Stampa Grafiche Busti - VR

ISBN 978-88-07-89021-5

www.feltrinellieditore.it
Libri in uscita, interviste, reading,
commenti e percorsi di lettura.
Aggiornamenti quotidiani

razzismobruttastoria.net

"E se vale la pena rischiare, io mi gioco anche l'ultimo frammento di cuore."

ERNESTO CHE GUEVARA

Un giorno di qualche mese fa, nello stesso giorno, un mascalzone mi scippò per strada e un temporale fulminò la parabola annullando per tutta la sera il segnale di Sky. Recuperai il portafoglio perché era vuoto e il ladro non sapeva che farsene, ma cadendo mi sono rotta il mignolo della mano sinistra. In quella circostanza ho appreso che, pur essendo in sé il mignolo un dito abbastanza inutile, quando si rompe fa un male cane.

E forse, quel giorno, ne ho dette troppe sulla sfortuna e mi sono chiamata addosso un anatema molto più forte, come se la sorte volesse insegnarmi che bisogna lamentarsi solo quando ce n'è vera ragione.

Quel giorno che mi è parso così tremendo non era poi la fine del mondo.

Quella sarebbe arrivata dopo.

Mi chiamo Emma De Tessent, e questa è la mia storia.

1.

La tenace stagista

Premetto che sono una persona ambiziosa e ho il carattere di un'anziana pechinese sterilizzata. È però l'unione delle due cose che mi ha permesso di sopravvivere alla Fairmont Holding Italia, filiale della casa di produzione cinematografica americana. Ho iniziato con uno stage subito dopo la laurea e ho fatto in modo di non andare più via. Qualcuno mi aveva ribattezzata "tenace stagista", e non in termini lusinghieri, ma forse ormai sarebbe più adatto definirmi "l'eterna stagista" dato che il mio contratto viene annualmente rinnovato a una risibile cifra sempre uguale a se stessa, anzi forse con qualche euro in meno.

Condivido l'ufficio con un'altra stagista e, trattandosi di una compagnia americana, a volte sembra di lavorare negli States, perché un Mac personale è considerato un diritto inalienabile e il caffè lungo un livello assistenziale minimo.

Non è facile. I soldi sono davvero pochi a fronte di promesse collocate in un futuro che sembra sempre prossimo, ma poi non lo è mai. Manzelli, il mio capo, sull'argomento è un po' volatile e poiché si tratta solo all'apparenza di una persona molto distinta perché, in realtà, quando gli prendono i cinque minuti diventa una specie di belva, parlarci talvolta è complicato.

Ma se tutto va come deve, questa è una fase transitoria. Ho

un obiettivo che sfavilla come un'insegna a Las Vegas. Anche se non ho sempre avuto chiaro cosa volessi fare, adesso so che il mio obiettivo è il settore dell'acquisizione e cessione di diritti. E l'ho capito da quando conduco una trattativa (molto privata, diciamo pure segreta) con Tameyoshi Tessai.

Proprio lui, lo scrittore italo-giapponese che da un anno vive in un bosco, che ha venduto un milione di copie solo in Italia e che finora si è sempre caparbiamente rifiutato di cedere i diritti del suo bestseller *Tenebre di bellezza* per qualunque genere di trasposizione cinematografica.

"Emma, Manzelli ti ha detto niente del nostro contratto?" mi chiede Maria Giulia, l'altra stagista, una cara ragazza con un unico difetto: usa un profumo, in auge negli anni ottanta, che per i miei recettori dell'olfatto è fatale e a cui non mi sono abituata nonostante le lunghe giornate rinchiuse in un cubicolo con finestra sul pozzo luce.

Il contratto cui MG allude è il nostro, quello di entrambe, che scadrà tra dieci giorni. Ci è stato promesso però che non saremo più stagiste ma che ci verrà proposto un *vero* contratto da *vere* dipendenti. Persino con le ferie! Glielo ricordo con dolcezza, perché MG è fatta così, è molto ansiosa, le devi dire di continuo che va tutto bene o va in tilt.

"Ci tengono qui come stagiste a novecento euro al mese da tre anni. Lo stage non si può più rinnovare per legge. Devono farci un contratto!"

"Certo, hai ragione. È che quest'anno... con tutte le spese per il matrimonio... non potrei proprio perdere questo lavoro."

"Perdere? Fantascienza pura. Perché dovresti perderlo?"

"Manzelli non mi apprezza. E poi la compagnia non naviga in buone acque. Lo sappiamo tutti..."

"Sì, certo. Ha risentito della crisi. Ma è florida più di tante altre. Ti devo ricordare il trionfo al botteghino di quella schifezza a Natale?"

"Sì, hai ragione... ma altri progetti non sono andati proprio bene. Insomma, mi dico sempre che, in caso di tagli, noi saremmo sacrificabili. La nostra posizione – la mia e la tua, intendo – è precaria."

Be', sì, è precaria solo formalmente, perché è un contratto del cavolo, ma in realtà io qui sono attaccata più tenacemente della muffa al soffitto e non contemplo ipotesi alternative. E ho anche ragione di credere che Manzelli abbia davvero bisogno di me. Chi le ha messo in testa questa storia dei tagli? Che stress...

"Non avvilirti, Maria Giulia. Né tu né io saremo sacrificate da nessuno. Non gira alcuna voce di tagli. Lo sapremmo. Manzelli è quel che è, ma non arriverebbe a tanto."

MG appare confortata. Gli occhi, che erano diventati rotondi e acquosi come quelli di un gattone desideroso di coccole, tornano a concentrarsi sul monitor del computer.

Per conto mio, torno a lavorare al progetto Tessai. Nel pomeriggio ho un appuntamento via Skype e lui è una persona talmente imprevedibile che ogni volta potrebbe essere quella giusta.

Sì, signorina De Tessent, ho ragionato sulle sue parole e ho deciso di accettare.

Arriverà il giorno in cui questa frase la dirà davvero e non sognerò a occhi aperti. Aspetto fiduciosa, perché ho imparato che la pazienza è il segreto del successo. E a quel punto, mi guadagnerei una promozione tanto sonora da far tremare le pareti di questa stanza, che avrebbero così bisogno di una bella tinteggiatura. Ed è proprio mentre sono nel pieno di un paragrafo particolarmente periglioso, delicatissimo da tradurre in scena cinematografica, che ricevo un messaggio di mia sorella Arabella.

Emma e Arabella. Ci chiamiamo come le protagoniste di un romanzo regency. Ma cosa poteva riservarci di diverso il destino, dal momento che mia madre ha sposato un nobile inglese fatuo e incantevole come un principe delle fiabe? A me ha dato il nome dell'eroina della Austen poiché, come lei, ero la minore di due figlie di un padre indulgentissimo e pieno d'affetto. Per conto suo, da un punto di vista che a tutt'oggi mi risulta nebuloso, mamma era certa che avere nomi romantici sarebbe stato un punto di forza per noi. Un vantaggio, diciamo. A essere sfottute senz'altro, e Arabella, che deve il suo nome a un romanzo di Georgette Heyer, ne sa qualcosa.

Mia sorella ha sposato un architetto che la riempie di corna e che le ha dato due deliziose bambine di cinque e tre anni, Maria e Valeria, che sono l'amore della mia vita.

Io non ho un debole per i bambini e al momento non posso dire che avere un figlio rientri fra i miei desideri ma a loro due non riesco a resistere. Così mia sorella risparmia sulla baby-sitter e io sono contenta. Con un messaggio che vorrebbe essere discreto ma altro non è che un ultimatum, Arabella mi ricorda che oggi devo andare a prendere le Nipoti alla scuola di danza e riaccompagnarle a casa loro prima di far ritorno all'appartamento che condivido more uxorio con mia madre.

I minuti si susseguono lentamente finché in ufficio non resto da sola ed è il momento di incontrare Tameyoshi Tessai.

Giuro che, se questa trattativa va in porto, smetterò di mangiare Mikado da qui all'eternità.

Ma all'orario convenuto, Tessai è offline.

E che cavolo.

Resta offline per un'altra mezz'ora.

Mi ha dato buca, mi sembra evidente, e non è neanche la prima volta.

Coraggio, Emma. Ci sarà una ragione per cui tutti desistono e lo mandano al diavolo al grido di *tieniti i diritti*.

E ci sarà una ragione per cui tu, invece, ce la farai.

È solo questione di tempo.

2.

I piccoli piaceri della tenace stagista

Cosa non mi piace: il chiasso. Le diete. La mondanità. La percezione del fasullo. Il rumore dell'aspirapolvere. E la maleducazione mi sconcerta.

Cosa mi piace: quando le Nipoti scoppiano a ridere. L'arredo décor e le riviste di arredamento patinate, che compro, sfoglio e non leggo mai. L'odore del bucato asciugato dal sole di giugno. Le piccole gentilezze inaspettate. Un patio con l'edera rampicante. Le lanterne. E per un trancio di pizza potrei ammazzare.

E poi, mi piacciono i romanzi rosa, quelli da edicola, quelli che nessuno legge ma, chissà perché, non conoscono crisi. Per me la felicità è composta dai seguenti elementi, ma tutti insieme concentrati, altrimenti non vale: bufera con folate di vento ululanti; una candela ardente; un romanzo rosa porneggiante rigorosamente ambientato in epoca regency; un divano; un plaid di pile; un pacco di biscotti – sono scarsamente selettiva, va bene qualsiasi cosa purché contenga cioccolato e olio di palma e basti guardarli per tappare le coronarie. A salvarmi dallo stereotipo della zitella, solo l'allergia ai gatti.

Non sono sempre stata così. C'è sempre qualcosa che, a un certo punto della nostra vita, ci trasforma in qualcuno che non credevamo di essere o, piuttosto, ci svela esattamente cosa siamo. La prospettiva sembra diversa, eppure non lo è.

Ecco cosa sono io, o cosa era nascosto in me ed è semplicemente venuto a galla perché qualcuno ha fatto in modo che accadesse: sotto le mentite spoglie di una ragazza di buona famiglia, di aspetto passabile, brillante negli studi, salda nei valori, si celava una zitella della peggior specie, irrisolta e malmostosa.

Forse proprio adesso, mentre ceno con i miei biscotti chimici da discount, l'uomo che mi ha svelato chi realmente sono è a tavola con la moglie fiamminga e i figli che già a cinque anni son fighi come rockstar, e stanno mangiando qualche deliziosa pietanza a base di cavoletti. La nostra storia è durata quattro lunghi anni. Il vero mistero è come sia possibile che i ricordi più vividi riguardino i momenti in cui ci incontravamo nella sua auto. I seggiolini dei figli, ancorati ai sedili posteriori, li facevano sembrare tragicamente presenti, e se possibile rendevano la situazione ancora più torbida.

E così, confesso che, oltre alla tenace stagista, sono stata anche la tenace amante nell'ombra. I patti sono sempre stati chiari: lui non avrebbe mai lasciato la bionda consorte e io non l'ho mai chiesto. Ma l'ho sperato talmente tante volte che, oggi che non sogno più una vita al suo fianco, mi sembra di non aver più desideri. Non che io non sogni più, ma al confronto, tutti gli altri sogni sono pallidi. Nessuno possiede la stessa forza, nessuno è tanto vivo, nessuno riempie i miei occhi di lacrime e il mio cuore di dolore quanto quel desiderio ormai lontano.

All'improvviso, lui ha deciso di dedicare tutte le sue energie a cercare di essere degno della sua famiglia. Così ha detto e così, con fermezza, ha chiuso. A una spiegazione del genere, cosa puoi obiettare? Ho incassato e ho cercato di ripartire meglio che potevo.

Ecco, non sono più capace di godermi neanche i miei piccoli party privati. Irrisolta, malmostosa e anche malinconica.

Finché la svolta alla serata la dà un messaggio di Tameyoshi Tessai. È disponibile a incontrarmi adesso. Non su Skype.

Chiedo prontamente dove e quando, poiché anni di vicinanza a un marito fedifrago mi hanno resa capace di cogliere al volo le opportunità di incontro e di essere ultrarapida – che non si sa mai che poi l'occasione sfumi – nel trasformare una *mise* da divano in una *mise* da gnocca.

In via Margutta, in un locale di fronte a una scuola di scultura. Ha voglia di amatriciana.

Questi creativi sono troppo strani. Ma io ne ho viste talmente tante, mica demordo o mi sconcerto. In venti minuti sono già sul taxi, tailleur-munita, discreta come la goccia che scava la roccia.

Lui è già arrivato. Per essere uno che vive in un bosco non ha l'aria selvatica, anzi, è piuttosto chic.

Di lui so quello che sanno tutti. È nato nel 1955 a Osaka da padre giapponese e madre milanese. Quando aveva una decina d'anni ha seguito la madre in Italia. Indisciplinato e ribelle, non è riuscito a diplomarsi e fino alla pubblicazione del suo primo libro (di anni ne aveva venticinque) è stato mantenuto dalla madre. Di bassa statura, ha bei lineamenti. Certo, non è Takeshi Kaneshiro, ma ha un suo perché. E, soprattutto, è totalmente fuori dalla grazia del Signore.

Seduto a un tavolino, fuma un cigarillo alla liquirizia, porta un panama bianco e gli occhiali da sole. E sono più o meno le ventidue. Dove finisca l'attitudine all'eccentricità e inizi la determinazione a esserlo a tutti i costi, non saprei dirlo.

"Signor Tessai," lo saluto, porgendogli la mano.

Lui mi squadra e butta per terra la cenere con grazia.

Okay, forse è tempo di riassumere come mi sono imbattuta in Tessai e perché la mia trattativa sia l'unica in piedi ai fini dell'acquisizione dei diritti del suo bestseller, benché nessuno al mondo lo sappia.

Si dà il caso che dal libro d'esordio di Tessai sia stato tratto un film di quelli pretenziosi e immorali che finiscono a Cannes o Venezia e piacciono a quattro gatti ma fanno schifo al resto del mondo. Dal colossale fiasco l'autore si è dissociato col solenne giuramento che mai più verrà fatto un tale scempio dei suoi libri.

Tre anni fa, sul mercato editoriale italiano irrompe *Tenebre di bellezza*. Tradotto in venticinque lingue, sbarca anche in America. E Tessai non si rimangia nemmeno una volta quel solenne giuramento che mai, per nessuna cifra, cederà i diritti.

Poi, arriva il funerale.

Sei mesi fa un infarto si porta via l'editore di Tessai, che si dà il caso fosse un vecchio e caro amico di mia madre. E soprattutto, una delle poche persone al mondo che riuscisse a farsi ascoltare dal nippomilanese. Al termine della messa, Tessai legge un proprio pensiero in cui esprime l'affetto nei confronti dell'indimenticabile mecenate e gli giura che cercherà di non discostarsi mai dai suoi consigli.

Parole così ben scelte e sentite da commuovere anche me; ma del resto, che Tessai con la penna ci sapesse fare lo sapevo benissimo. *Tenebre di bellezza* è un libro straordinario. Ma anche quelli precedenti, li avevo letti tutti perché piacevano molto a mio padre.

Mia madre e io ce ne stavamo andando quando Tessai mi ha avvicinata. Lì per lì ero sicura che mi stesse confondendo con qualcun'altra.

"Lei è Emma De Tessent?"

Annuii. Gli diedi la mano e gli dissi che avevo trovato bellissime le sue parole su Giorgio Sinibaldi.

Lui si rimise il panama e abbassò la voce, assumendo un'aria diffidente. "Giorgio mi ha parlato di lei. Solo di lei."

Al che avrei dovuto capire da sola in quali termini, poiché Tessai si trincerò nel silenzio e non aggiunse altro, né io fui in grado di indurlo a dirmi qualcosa di più. E in tutta franchezza, non riuscivo a spiegarmi perché il buon Sinibaldi parlasse a Tessai "solo di me" e, da brava lettrice di un certo sottobosco di paraletteratura, stavo iniziando a guardare con occhi diversi mia madre, sospettando qualche segreto relativo alle circostanze del mio concepimento.

Una settimana dopo, quel misterioso incontro continuava a darmi sensazioni contrastanti, così decisi di procurarmi i suoi contatti e parlarci di persona.

Sarebbe stato più semplice, forse, cercare di contattare Obama. Almeno lui ha un account su Twitter.

Da tempo, Tessai rifiuta qualunque invito per presentare le sue opere (televisione, festival, giornali) ed è ingabbiato in un nichilismo antisociale che inizia a creare problemi anche al suo agente, che assai garbatamente mi mise in guardia: "Recapiterò il suo messaggio, signorina De Tessent, ma sento di doverla scoraggiare riguardo l'attesa di una risposta".

Invece, Tessai rispose personalmente. Ci incontrammo nella casa isolata che si è fatto costruire impiegando tutti i proventi dei suoi libri e, benché non possa dire che mi parlò con chiarezza, quanto meno non mi rispedì a casa con un calcio nel didietro (cosa che pare essere realmente avvenuta a una collega che si occupa di diritti cinematografici per una compagnia ben più importante della nostra).

"Giorgio credeva che io dovessi fare un passo indietro sulla questione del film che è possibile trarre da *Tenebre di bellezza*," mi disse mentre sorseggiava una bevanda a base di ginseng e altre radici di vario tipo, che pretese di condividere e che oggi è il mio termine di paragone per il sapore disgustoso. "Ho promesso a me stesso che avrei cercato di ascoltare i suoi consigli. Io devo tutto a Giorgio. E non solo quello che lei può immaginare," aggiunse puntando l'indice verso di me, che mi sentivo un po' confusa dai suoi modi bizzarri. "Giorgio credeva che l'unica interlocutrice adatta fosse lei, Emma. Intendo dire questo quando dico che mi parlava solo di lei."

So che Sinibaldi aveva corteggiato mia madre come solo un galantuomo sa fare, per molto tempo e con altrettanta pazienza. Non perché lei me ne avesse parlato – è riservatissima – ma perché certe cose si capiscono, se convivi con un'altra persona. Lei però è sempre stata innamorata di mio padre, che è morto da quindici anni, e lo è tutt'oggi con un raro e prezioso senso di fedeltà, perché quando l'affetto vive con tanta forza, gli anni sembrano minuti e non posso darle torto dato che per me è esattamente lo stesso.

"Ma non creda che per questo io sia pronto a regalarle i diritti."

"Non lo pretendo, ovviamente. Avrebbe un trattamento economico molto vantaggioso e non se ne pentirebbe."

"Dei soldi non m'importa niente!" esclamò, con una furia da predicatore religioso negli occhi. "I diritti posso anche regalarli, se mi va!"

"Certo," lo assecondai, con un'immagine di me sepolta ancora agonizzante in una fossa ricavata nel suo giardino.

Tornò ad ammonirmi con quel suo dito indice. "Intendo dire che sta a lei dimostrarmi in ogni modo possibile che la scelta di affidarle il mio lavoro è quella giusta."

Quell'affermazione di Tessai era un'esca che avrebbe potuto lanciarmi solo qualcuno che mi conosceva estremamente bene. Delle due era l'una: o lui l'aveva capito, nonostante il breve tempo trascorso insieme, oppure si aspettava semplicemente questo, e in tal caso la sorte aveva combinato ben bene le cose, perché da tali presupposti non poteva che venire un risultato scoppiettante. Perché a quel punto avrei fatto di tutto – e dico di tutto – per portare a casa quei maledetti diritti.

3.

L'assurda serata della tenace stagista

Tessai ordina i rigatoni all'amatriciana. La pietanza arriva e lui spazzola il piatto in una manciata di minuti. E così ne ordina un altro. Mi rivolge la parola solo tra il primo e il secondo piatto. Fino ad allora mi aveva solo guardata.

"Oggi sono mancato all'appuntamento perché sentivo la necessità di scrivere. Ho perso la concezione del tempo e l'ho dimenticata."

C'è sempre qualcosa di sconcertante nei termini con cui compone le sue frasi, anche quando i contenuti sono banali.

"Non si preoccupi."

"Non è bene che lei si faccia mettere i piedi in testa così. Dovrebbe essere incazzata."

Infatti lo sono eccome, Tameyoshi, ma la mia professione mi ha insegnato a ingoiare tanti di quei rospi che ormai sono tutta un gracidio. Però niente mi pesa quando immagino il momento in cui mi presenterò da Manzelli e comunicherò che il suo piccolo genio è in grado di portare a casa nientemeno che i diritti di *Tenebre di bellezza*. E mi darà subito una promozione confacente al risultato e la mia carriera decollerà: da stagista a Chief creative officer in un sol colpo. E potrò comprare quel villino con i glicini che tanto adoro (con un mutuo trentennale, verosimilmente, ma almeno una banca me lo concederà), mi ricaverò una stanza che sarà solo biblioteca e installerò un camino (se non c'è già). E magari pubblicheranno un articolo su "Marie Claire", sulla talentuosa stagista che, grazie alla sua tenacia, è riuscita dove tutti gli altri avevano fallito. E in quel preciso momento, Tameyoshi, credi che mi ricorderò dei bidoni che mi hai tirato?

"Comprendo le sue ragioni, signor Tessai. Ho rispetto per il suo lavoro e i ritmi della sua creatività. Lo stesso rispetto che troverà nella trasposizione di *Tenebre di bellezza*."

"Non faccia la furbetta con me. Gradisce un sorbetto?"

"Grazie, sì."

Tameyoshi ordina per due. "Le sue garanzie nascono dalla buona fede, ma cosa faremo quando subiremo pressioni che non potremo accettare? Perché lei sa che accadrà."

Quando si parla dei suoi romanzi e dei relativi diritti, Tessai interpone un plurale maiestatis che, forse, lo fa sentire meno solo di quel che è. Come se le scelte coinvolgessero lui e però anche qualcun altro, e a questo misterioso alter ego lui dovesse in qualche modo rendere conto. "Non so come potremo affrontare cambi di sceneggiatura e di struttura. È un prezzo che non siamo pronti a pagare."

"È vero: se cederà i diritti... la storia, i personaggi, non saranno più soltanto suoi. Ci saranno un produttore, un regista, una squadra di sceneggiatori, attori e persino comparse che pretenderanno di saperne più di lei. Ma l'autonomia creativa che lei possiede nei romanzi non potrà mai toglier-gliela nessuno. *Tenebre di bellezza* è il capolavoro che è, indipendentemente da un film che servirà solamente a proporre una nuova visione del mondo che lei ha immaginato. È un atto di generosità, signor Tessai."

"Non sono una persona generosa."

"Si è ciò che si vuole essere."

Gli occhi vivaci mi rivolgono uno sguardo colmo d'interesse.

"Questa è una bella affermazione. Posso rubargliela per il mio prossimo libro?"

"Eh, no. Dovrà conquistarsi i diritti, così capirà cosa provo," ribatto con un sorriso.

"Ma guardi che io lo capisco benissimo e ne sono addolorato. Temo che lei abbia riposto troppe aspettative in questo progetto."

"Lo lasci giudicare a me," dico, con un'aria di incrollabile sicurezza che in realtà sento vacillare pericolosamente.

"Be', del resto lei è una donna matura. Sa difendersi da sola dalle delusioni."

Tessai paga il conto e mi saluta senza fissare un nuovo appuntamento. Per quella che è la nostra routine, so già che potrebbe farsi vivo tra un giorno come tra un mese. E senza nessuna novità, peraltro. Mi ritrovo spesso a pregare l'anima del compianto Sinibaldi, affinché gli appaia in sogno e gli ordini di vendere i diritti mettendo fine alle mie sofferenze.

Non ho più voglia di tornare al mio party privato. Raggiungo a piedi piazza di Spagna. Il clima è quello che dovrebbe esserci ogni giorno dell'anno: non c'è caldo, non c'è freddo e non c'è vento. La somma perfezione. C'è la consueta orda di turisti, un'aria di felicità collettiva e primaverile con cui sento di non avere niente in comune.

"Emma!"

La voce appartiene a un celebre attore che ho conosciuto per lavoro qualche tempo fa. Uno di quelli che di sicuro un cane reciterebbe molto meglio, ma è finito anche su "GQ" mezzo nudo e, onestamente, faceva la sua discreta figura. Stasera è alticcio ed è attorniato da una combriccola di gaglioffi e smandrappate.

"Amici, lei è Emma De... De qualcosa, insomma. Lavori alla Fairmont, sì?"

"Wowww, la Fairmont! Proprio ieri ho fatto un provino," aggiunge una della sua combriccola.

"Sì," rispondo, non sapendo cos'altro dire.

"Vieni, c'è posto. Ehi, amico, porta un altro Negroni. Lo vuoi un Negroni, sì?"

"Va bene una Piña colada."

"Ammazza quanto sei antica," osserva con sagacia la ragazza che ha appena fatto il provino.

"Che di questi tempi è un complimento," ribatto e lei torna a bere il suo Negroni un po' interdetta. Nell'attesa del mio drink antiquato, resto in ascolto di un'accozzaglia di discorsi del tutto privi d'interesse, e il mio contributo si limita a un sorriso paretico, di assoluta circostanza. Non che non si sforzino di coinvolgermi, eh. È a me che non interessa essere coinvolta.

Peraltro, per non fare la figura della scroccona, non posso andar via subito dopo aver finito il drink. Almeno deve passare un quarto d'ora, altrimenti che figura del cavolo è.

Ma pare quasi che aspettassero che io finissi; l'ultimo sorso dalla cannuccia, che peraltro per un crudele fenomeno della fisica mi viene rumoroso quanto quello di un bambino che beve il succo di frutta dal brik, e tutti sono già in piedi, pronti a raggiungere una qualche festa in terrazza dove ballare fino al mattino.

Ma non il nostro attore. Lui domani deve alzarsi presto per le riprese.

"Hai bisogno di uno strappo fino a casa?"

"Se ti viene di strada…"

"Ma figurati, che m'importa. Andiamo," e molla una banconota da duecento euro sul piattino di silver con la ricevuta.

Mi prende per mano e, mio malgrado, mi ritrovo a seguirlo perché dobbiamo raggiungere la sua auto.

"Prima di portarti a casa potremmo ascoltare un po' di musica insieme, se ti va. Ho anche un vino rosso in cantina che è uno spettacolo."

"Non potrei mai perdonarmi se domani alle riprese tu non fossi in forma."

"Io sono sicuro che invece... arriverei rilassato," dice con lo stesso sorriso del tutto privo di calore che usa nelle scene d'amore delle fiction.

"Non ne sono tanto sicura."

Ancorché sbigottito, lui incassa. "Non insisto," ribatte dunque, già distante.

"Aspetta, ho voglia di un dolcino." Siamo di fronte a Ladurée, cui non so mai resistere.

Lui adesso sembra un po' annoiato e mi affretto a rassicurarlo. "Sarò rapidissima. Non intendo fermarmi. Lo prendo e lo porto con me."

Annuisce con gentilezza, del resto è più o meno un attore, sa dissimulare.

Entro da sola nella pasticceria in cui nulla di male può mai succedere, che è il trionfo del bello, del caro e dell'artefatto. E che mi fa impazzire, *ça va sans dire*.

Scelgo i *macarons* dai colori più farlocchi e, poco prima di andare alla cassa, formulo la domanda che agli occhi della commessa mi relega tragicamente nell'oscuro confino in cui abitano gli sciocchini.

"Mi scusi, ha delle candeline?"

"Prego?"

"Candeline. Come quelle che si mettono sulle torte. Di compleanno. Ha presente?"

"Mi dispiace, abbiamo solo candele per ambienti."

"Ah, di quelle profumate."

"Sì."

"Fa niente. Cosa le devo?"

Per un attimo avevo creduto che l'Attore mi avesse lasciata lì, abbandonata ma non sedotta.

E invece mi aspetta paziente mentre inganna il tempo whatsappando con la velocità di un teenager.

"Dov'è casa tua?" chiede.

"Davvero, non vorrei approfittarne..." Ma anche sì.

"Che sarà mai, a meno che non abiti sulla Prenestina."

"No, no. Se tu potessi portarmi in via Barnaba Oriani..."

"Servita," ribatte, gentile come un filippino messo in regola.

Mi porta a destinazione mentre in auto il silenzio di due persone che non hanno molto da dirsi è riempito da *Sunday Girl* di Blondie.

"Be', ci vediamo in ufficio lì da te... sicuramente, sì?" Forse mi ha scambiata per una che conta qualcosa.

"Alla prossima produzione insieme, certo."

"Spero presto. Cazzo che casa. Ma è in vendita?" chiede alludendo al cartello sul cancello.

"No." E non do altre spiegazioni. "Buonanotte, e grazie per tutto."

Lui saluta con un cenno della mano e sgomma senza aspettare che io apra il cancello del villino.

Che no, non è casa mia e sì, è in vendita da tanto tempo, e per fortuna nessuno l'ha ancora comprato. Sogno di poterlo fare io, un giorno, unendo le ultime residue fortune di mia madre e un mutuo che una banca mi concederà quando avrò una stabilità professionale. Quindi, plausibilmente, presto.

So già che il cancello resta sempre aperto, perché è difettoso e forse nessuno se n'è accorto. Il profumo dei glicini è una vera gioia e i petali secchi crepitano sotto i miei piedi. Siedo su una panca di pietra sporca e corrosa e sogno che questa sia davvero casa mia. Immagino Valeria e Maria che giocano in giardino mentre io leggo un libro, seduta proprio qui.

Confesso che c'è stato un attimo in cui mi sono detta che un giro con l'Attore mi avrebbe fatto bene. E non sarebbe stato poi tanto male concludere così il decennio dei miei vent'anni, dato che allo scoccare della mezzanotte ne compirò trenta.

Per quanto aitante sia l'Attore, una notte col suo corpo sconosciuto mi avrebbe lasciato solo un gran senso di amarezza. Al contrario, i *macarons* non deludono mai. Il mio villino non mi delude mai.

E prima di chiamare un taxi per tornare a casa, mi dico che è tanto, tanto più bello vivere in questo mio mondo profondamente antiquato.

4.

Le sagge Nipoti della tenace stagista

"Non ci voglio credere. Hai trascorso il tuo compleanno come un giorno qualunque." Arabella è genuinamente costernata.

"E non lo è?"

"No che non lo è. Se lo avessi saputo, avrei organizzato qualcosa qui, a casa nostra."

"A me va bene così."

"Emma, ti ricordi che questa sera devi portare al cinema le bambine?"

In realtà, l'avevo dimenticato. Ma proprio totalmente, tant'è che avevo promesso a Maria Giulia che l'avrei aiutata a concludere l'editing di una sceneggiatura.

"Sì, certo."

Quindi, niente lavoro. Stasera, al multisala in missione *Doraemon*.

Mortificata, lo spiego a Maria Giulia.

"Ah... d'accordo. Figurati, farò da me... devo per forza finire. Al momento della scadenza del contratto vorrei arrivare con tutte le pratiche già chiuse, affinché nessuno possa mai dirmi che avevo lasciato delle pendenze."

"Mi dispiace, davvero, non poterti aiutare."

"Non preoccuparti." La faccia è quella di chi comprende, ma il tono la tradisce, sembra davvero afflitta.

E poiché dopotutto non sono il mostro che dipingo agli occhi di me stessa, in un attacco di solidarietà senza secondi fini (perché in genere, quando faccio qualcosa per gli altri, non perdo mai di vista l'ottica del karma positivo che potrebbe tornarmi indietro) metto da parte il mio lavoro e le dico di passarmi il file su cui sta lavorando, per darle una mano.

Gli occhi di Maria Giulia si illuminano e mi dice qualcosa di profondamente irritante, anche se ne intuisco la gentilezza: "Sei una persona buona". E lo dice quasi con rimpianto, come se le dispiacesse per me.

Questa è bella, ora faccio pure pena. Vai a far del bene.

Riesco a finire il suo lavoro con uno slancio operativo da maratoneta, poi prendo la metro, arrivo a casa e ho il tempo di recuperare l'auto per raggiungere le Nipoti.

L'Orrido Cognato è ancora in mutande col pacco in bella vista. Mia sorella invece è pronta da mezz'ora, se la conosco.

La baby-sitter low cost – che sarei io – abbraccia le Nipoti e le fa infilare di corsa in ascensore, che poi per trovare parcheggio impieghiamo il doppio del tempo.

"Grazie Emma, grazie. Anche se..." mormora Arabella, preoccupata.

"Cosa?"

"A volte credo che sia arrivato il momento... per una vita tua. Voglio dire, con Carlo è finita ormai da tanto e sono sicura che non ti manchino le occasioni di conoscere gente nuova e interessante."

Ma che hanno tutti? Sono il ritratto della nubile da compiangere fino a questo punto, tanto da muovere a pietà chiunque mi guardi in faccia per più di un minuto?

"Non c'entra Carlo, quella è una storia superata. Non forzo le cose, tutto qui. E poi, cara sorella, non siamo tutte così fortunate da trovare uno come tuo marito," aggiungo alludendo perfidamente all'Orrido Cognato che si trastulla allo specchio.

Arabella mi fulmina con lo sguardo, mentre Valeria (la minore delle Nipoti) mi porge l'impermeabile. "Andiamo, zia?"

"Certo, pulcetta."

Maria, che è molto pragmatica, ha già aperto la grata dell'ascensore. Ha estratto il suo portafoglio con la Principessa Anna di *Frozen* e mi fa presente che ha i soldi per i popcorn.

"Brava, Maria, l'indipendenza economica è importante ed è bene che tu lo impari al più presto. Ma per stasera, pensa a tutto la zia."

È un tipo timido e molto serio; annuisce con discrezione. Valeria invece è una specie di terremoto, e infatti mia sorella ha preferito trovarsi un lavoro che non la appassiona anziché rimanere di pomeriggio con lei, perché la fa impazzire e quello che guadagna lo usa per pagare una tata sulla sessantina che puzza di camembert e che io trovo terrificante, ma che invece pare abbia polso pur essendo "dolcissima", e mia sorella è tutta contenta.

Troviamo parcheggio subito. La borsa a tracolla, una bimba per ciascuna mano, mi avvio alla cassa.

"Tre biglietti per *Doraemon*, per favore."

E non sento la risposta della cassiera, perché un'altra voce, proveniente dalla cassa a fianco, mi folgora.

"Due biglietti per *Youth*, grazie." Peraltro, ha una pronuncia inglese che fa schifo. Abbasso lo sguardo e magari, se ho fortuna, non mi vedrà.

Oppure, se è con la Moglie, Carlo fingerà di non vedermi, il che è più probabile e forse preferibile. Questa è colpa di quell'attirarogne di mia sorella, che lo ha evocato nominandolo poco prima del tutto a sproposito.

"Zia, perché guardi il pavimento?"

"Perché... mi piace il colore." Valeria è perplessa.

"Zia, se non guardi avanti, cadi," interviene prosaicamente Maria.

E impiego qualche istante per rendermi conto del profondo senso lato delle sue parole, che è evidentemente inconsapevole – spero, altrimenti la Nipote Uno è un mostro.

"Hai ragione." E così rimetto in asse il mio sguardo con le porte dell'ingresso alla sala, aperte su una tenda oscurante. Ma forse ho scelto il momento sbagliato, proprio quello in cui Carlo deve avermi vista e mi sta ancora fissando. A meno di un metro di distanza.

"Ciao," dice, con tono incolore, insapore, tristemente indifferente.

"Ciao," rispondo adeguando il tono al suo.

Adesso porta una barbetta un po' brizzolata che ha tutta l'aria di essere ispida; gli occhi brillano sempre di quelle pagliuzze d'oro in un color tabacco bello proprio perché non uniforme.

Le Nipoti lo fissano con noia. "Sono cresciute tanto."

"I bambini tendono a farlo."

"Anche i miei sono diventati due ometti. Ne è passato di tempo."

"Passa, per fortuna."

"Hanna mi aspetta in sala," dice, come a volersi giustificare.

"Certo," rispondo con un sorriso forzato.

"Ci si vede. Ciao," conclude, tirando dritto con quella camminata da fighetto del liceo che non ha perso nonostante i trentotto anni che compirà tra qualche mese.

Perfetto, averlo rivisto mi rassicura che gode ancora di ottima salute nonostante i miei anatemi.

"Zia, perché sei triste?" chiede la Nipote Due, frugando nella tasca alla ricerca del ciuccio. Me lo porge con generosità, perché pensa che possa essermi di conforto.

"Pulcetta, non sono triste. Grazie per il ciuccio, magari la prossima volta."

"Ma se non ridi, non ci credo," fa presente Valeria, riprendendosi il ciuccio.

"Sì, ma non basta che ride con la bocca. Deve ridere con gli occhi," aggiunge sua sorella, impedendomi definitivamente di mentire e convincendomi sempre più che i bambini spesso la sanno lunga, molto più di noi. Mi chiedo perché, giunti a trent'anni, quella capacità di vedere e di sentire sia il più delle volte già andata persa.

5.

Il tremendo giorno della tenace stagista

Se per tanti anni sei stata l'amante di un uomo sposato, impari a fronteggiare i sentimenti di ansia, impazienza e frustrazione. Chi non lo impara dà prova di essere una imbecille perché non solo ha vissuto un'esperienza di merda, ma in più non ha appreso quelle poche cose che potevano tornarle utili anche in futuro.

Quindi, anche se oggi è teoricamente l'ultimo giorno di contratto da stagista, continuo a lavorare con serena ostinazione, certa che Manzelli stia facendo il suo. A consentirmi un po' di relax è l'assenza di quella faccia da annunciasciagure della mia collega di stanza, che oggi è clamorosamente assente. Le ho mandato un messaggino, ma non ha risposto. Forse, complice lo stress da ultimo giorno, sarà vittima dei suoi soliti problemini di dissenteria per i quali ha girato mezza Italia per sentirsi sempre dire che è solo colon irritabile.

Persino nel nostro stanzino da retrobottega riesce a filtrare una lama di quella luce discreta e generosa che solo i giorni di maggio possiedono. E le buganvillee che ho trafugato da un rampicante in un giardino semiabbandonato e ho collocato in un bicchiere di plastica risplendono di un fucsia dirompente. E mentre le ore di lavoro trascorrono senza alcuno sviluppo, loro stanno lì, io le guardo, e hanno il potere di farmi stare bene.

Intorno alle cinque del pomeriggio, ritengo sia il momento di affacciarmi nell'ufficio di venti metri quadrati di Manzelli.

"No, no e poi no! L'attrice non può portarsi quella peste del figlio sul set. Ma che è, un asilo, il set? Se ci rompe un macchinario, lo ripaga lei! Non me ne frega un cazzo se lei non vuole separarsene. Si porti dietro una tata come fanno tutte. Ah, Emma sei tu. Entra."

Lui è al telefono e mi fa cenno di aspettare. Io mi metto a fissare la sua collezione di dvd di cui conosco a memoria la sequenza essendo il mio tipico passatempo mentre lui mi parcheggia in attesa – cosa che si ripete spesso perché c'è sempre qualcosa di più urgente da fare prima di parlarmi. Liquida il suo interlocutore sbrigativamente e tiene gli occhi bassi evitando di guardarmi in viso.

"Stavo giusto venendo a parlarti," esordisce, buttando il cellulare sulla scrivania. "Sono incazzato nero."

"Cos'è successo?"

"Siediti, Emma."

Lui resta in piedi; il che, in qualche modo, stabilisce un rapporto che non è alla pari perché, mentre io resto seduta in una prigionia emotiva di subalternità, lui gira intorno alla scrivania blaterando una serie di premesse sulla stabilità della compagnia, sulle indicazioni provenienti dalla sede americana, sul flop che è stata quella serie tv che abbiamo coprodotto per Sky e di cui inspiegabilmente mi ritiene responsabile perché sostiene che io lo abbia malconsigliato (io?), sulla precarietà del mondo moderno che è tuttavia un vantaggio per il job market, poiché alla fine dà ai giovani la possibilità di cambiare, sperimentare, mettersi in discussione. Il tutto per giungere poi alla dolente verità che spiattella con quella fine grazia che gli è propria, che renderebbe sgradevole anche un complimento – che in ogni caso, tengo a precisare, non mi ha mai fatto.

"Emma, senza tanti preamboli: non possiamo rinnovare il tuo contratto."

"Stai scherzando?" chiedo attonita.

"Emma, per la compagnia non è più tempo di tentativi e investimenti. Si deve salvare il salvabile. I tagli che hanno imposto riguarderanno tutte le sedi. Qui da noi ci andate di mezzo tu e Soleri."

"Ma Antonio, Soleri non è il contrattista semestrale che finirà a Mediaset perché è cugino di..." Colui che per via di un'intrinseca inutilità della sua persona, per cui era inapplicabile a qualunque contesto produttivo che non fosse quello delle mere competenze di segreteria, avevamo tutti ribattezzato "Soleri la Sòla"?

"Non divaghiamo."

"E sì, invece, che divaghiamo, perché non puoi metterci sullo stesso livello! E Maria Giulia?"

"La scelta era tra te e lei. Abbiamo scelto lei."

E dopo questa affermazione, penso che mi avrebbe fatto meno male una padellata in pieno viso.

"Per lei niente spending review?" chiedo, piena del sarcasmo vile degli inaciditi, alzandomi in piedi e parlandogli occhi negli occhi (e mi riesce bene, perché mi sono sempre distinta per essere una spilungona). "Cosa ho fatto di male? O cosa non ho fatto? Insomma, perché?" C'è la nota di un dolore un po' disperato nella mia voce, che le mie orecchie ascoltano come se appartenesse a qualcun altro. E dopotutto, in parte, provo una sensazione straniante, come se stessi assistendo a una scena che mi vede protagonista senza viverla davvero.

"Emma, non sono tenuto a darti spiegazioni sulle mie scelte riguardo alle risorse umane. Il tuo contratto da stagista era in scadenza e non abbiamo i fondi per due contratti. Avrei voluto avvisarti prima, ma fino all'ultimo ho cercato di salvare la tua posizione e le cose non sembravano messe tanto male... Così non ho voluto allarmarti. Posso dirti, però, che non è una chiusura definitiva. Nel giro di qualche mese le cose potrebbero cambiare e allora..."

"Nel giro di qualche mese? E cosa dovrei fare nel frattempo?"

"La scelta è tua. Puoi aspettare o implementare l'appeal del tuo curriculum con nuove esperienze. Non so, uno stage all'estero, un master, un..."

"Io ho trent'anni, una laurea con lode, un dottorato, un master costato quattromila euro in Filologia e linguistica romanza, parlo correttamente tre lingue oltre all'italiano – che delle quattro è quella che parlo meglio e non è affatto scontato! 'Implementare l'appeal' questo paio di ciufoli!"

"Non posso certo chiederti di aspettare."

"Allora non dire niente. È meno lesivo della mia dignità."

"Spero che le nostre strade si incontrino di nuovo."

Al che dovrai porre tanta attenzione, Antonio Manzelli da Sora, perché quel giorno mi troverai armata fino ai denti come la sposa di Kill Bill *e te la farò pagare molto cara.*

Ma invece di dir questo, ovviamente, concludo con il garbo che ci si aspetta da un'educata signorina appena silurata.

"Preparo le mie cose e me ne vado."

Lasciare un luogo che si è sentito come proprio per tanti anni provoca un senso di strappamento, di ingiustizia, di irrealtà. L'unica consolazione è non avere di fronte Maria Giulia, che spero di non rivedere per i prossimi mille anni. Ho preparato una scatola che ho recuperato nello sgabuzzino. Per mia fortuna non appartengo a quella categoria di persone che riempiono di cianfrusaglie la scrivania e ho poco da raccattare.

Mi sento penosamente confusa, le mie sinapsi sono in cortocircuito, sovraccaricate da quesiti cui non sanno trovare risposta. Perché mi è successa questa cosa? Quali sono state le mie mancanze? Perché dev'esserci stata una falla, se a un certo punto della mia vita sono caduta in questo burrone. Oppure, forse la verità è che, semplicemente, a volte vinciamo, a volte perdiamo, e non sempre possiamo fare qualcosa per determinare l'uno o l'altro esito.

Un momento.

Io qualcosa posso ancora farla.

Devo giocarmi il tutto per tutto.

Digito febbrilmente il testo del messaggio, che evidentemente colpisce nel segno.

Tameyoshi Tessai mi richiama.

"Emma, cosa le è successo?"

"Non ho più un lavoro, signor Tessai."

"Non sono certo di aver capito."

"Ero in scadenza di contratto, qui alla Fairmont. Non me l'hanno rinnovato."

"Il mondo è cattivo."

"Molto, signor Tessai. Ecco, io ho pensato di chiederle... se lei avesse preso una decisione definitiva sui diritti... forse le mie sorti qui alla compagnia potrebbero cambiare."

"Ma, Emma, si rende conto di cosa mi sta chiedendo? Dovrei cedere i diritti proprio a una società che è stata capace di liquidarla senza tante remore? Che affidabilità vuole che abbia ai miei occhi?"

Il suo ragionamento non fa una piega. E già un minuto dopo averlo fatto, mi vergogno di aver pensato di usarlo come ultima spiaggia. È stato un pensiero ignobile.

"Mi creda, io vorrei aiutarla. Ma resto certo che ogni cosa in questa nostra vita abbia un significato. E voglio confessarle che iniziavo quasi a persuadermi, ma se ho temporeggiato, adesso ne sono solo felice. Perché questa circostanza ha messo in luce che non sarebbe stata la cosa giusta. La Fairmont, evidentemente, non merita una persona come lei. Il che rende consequenziale, mi permetta di essere tanto immodesto, che non merita i diritti del mio romanzo."

"Lei ha ragione. Mi scusi."

"Cedendo i diritti oggi, io non la aiuterei. Perché chi l'ha tradita adesso, la tradirebbe allo stesso modo domani. La prego, però. Teniamoci in contatto. Sarà solo una fase transitoria, lei troverà sicuramente una nuova collocazione, di certo più adatta al suo immenso potenziale."

"Grazie del sostegno, signor Tessai."

"In me avrà sempre un amico sincero."

Riattacco che non so neanch'io di che umore sono. In linea di massima, direi sul pessimo.

Chiamo un taxi e mi faccio portare in via Oriani. L'imbrunire sta avanzando con la rassicurante lentezza della tarda primavera.

Il cancello del villino è aperto e una tenue brezza porta con sé l'odore dei glicini che amo tanto. Le persiane delle finestre sono aperte, come per far entrare tutta la luce possibile. Forse qualcuno sta visitando l'interno della casa. Il portoncino d'ingresso però è chiuso.

Giro l'angolo per controllare le altre finestre. Sono tutte spalancate.

"Mi scusi, sta cercando qualcosa, o qualcuno?"

È la voce di un cinquantenne smilzo, con in mano una flûte piena di qualcosa che forse è prosecco, o spumante, o champagne. Mi parla da una delle finestre, con tono gentile.

"Non esattamente... ho saputo che questa casa è in vendita e volevo iniziare a vederla da sola, prima di chiamare l'agenzia..."

"Non più," si intromette una voce di donna, che appartiene a una coetanea dell'uomo che ha appena parlato.

"Non più, cosa?" chiedo, ma un oscuro presagio ha già conficcato i suoi artigli nel mio cuore.

"Questa casa non è più libera," annuncia la donna, piena

di un entusiasmo tanto comprensibile quanto detestabile. "Abbiamo appena concluso la trattativa e stavamo brindando. Gradisce un po' di champagne, per festeggiare con noi?"

Mi ci mancava solo questa. Condividere l'allegria di due perfetti estranei che, per quanto mi riguarda, dovrebbero andare al diavolo.

Declino cortesemente l'invito e mi allontano da questa casa che non è più mia o, meglio, non lo è mai stata, né mai lo sarà.

Ed è proprio in questo momento che sento il tuono della fine del mondo. Adesso sì, posso dirlo senza temere di esagerare, perché quando perdiamo i nostri sogni è mille volte peggio di quando perdiamo qualcosa di reale.

È quello il momento in cui non ci resta più niente.

6.

La tenace stagista raschia il fondo del barile

Un mese dopo il tremendo giorno, ho ormai consolidato nuove abitudini. È sorprendente la rapidità con cui ciò avviene, ovvero quanto facilmente un nuovo ritmo scalzi il precedente. Giro per casa con una specie di pastrano di lino che era di mia madre. Spesso lo macchio di caffè ma sono troppo depressa per metterlo in lavatrice. Ho comprato un manuale per trovare lavoro attratta dal capitolo "Assunzioni in 7 mosse", ma io di mosse ne ho ormai accumulate oltre cento e non ho ottenuto nessun risultato.

Un mese dopo la fine del mondo, sono più disoccupata che mai e il manuale è finito nella spazzatura insieme al rimpianto di aver speso diciotto euro attinti da un fondo in rapido esaurimento. È impressionante come il denaro diventi caduco e volatile quando non viene reintegrato. Di questo passo mi finiranno i campioncini della profumeria e non potrò più nemmeno ricomprare le mie creme antirughe. Per un piatto caldo ancora non nutro timori: mia madre può occuparsi di me. E quanto al mio vizietto dei romanzi rosa, posso pur sempre rileggerli: del resto, li leggo e contestualmente li dimentico.

In queste circostanze fatalmente avverse, per una curiosa legge dell'inversione del destino, c'è una persona che beneficia delle mie sorti in caduta libera: mia sorella Arabella.

Mi occupo delle Nipoti tutti i pomeriggi e questo mi aiuta a non pensare. Le vado a prendere all'asilo, preparo la merenda, giochiamo con la casa delle bambole e guardiamo la tv fino allo stordimento dei sensi. Poi mia sorella rientra e io torno a casa. Ho saputo da mia madre che Arabella vorrebbe propormi un accordo di tipo economico – del resto pagava quella che puzza di camembert – ma non lo fa per paura di urtare la mia sensibilità. Il che rende la misura della tragicità della mia condizione, del tutto in linea con le mie ascendenze regency, perché fa tanto romanzo rosa di mediocre immaginazione l'eroina che cade in disgrazia e vive della carità di un membro della famiglia.

"Non andrà avanti così ancora per molto, tesoro. È trascorso solo un mese, in queste cose ci vuole pazienza." Mia madre mi versa nel piatto l'insalata, che costituirà la mia cena, dato che non ho più appetito. Se non altro, da quando ho perso il lavoro ho smaltito i chili di troppo.

"Solo? Vedi com'è strano? A me è sembrato un mese interminabile."

Un mese durante il quale mi sono presentata, più o meno, a tutte le società nel settore dei diritti cinematografici e televisivi in cui potessi trovare una collocazione. Poi ho provato con le case editrici. E anche con le emittenti locali. Ormai il mio curriculum è sparso in tutta la città come i volantini che annunciano l'apertura di una nuova pizzeria con servizio a domicilio. Disposta a ricoprire qualunque incarico, in prospettiva. Nessuno è parso interessato, e ho ricevuto risposte una più scoraggiante dell'altra.

Non mi resta che emigrare all'estero, come mi aveva suggerito Manzelli. L'idea di vedere le Nipoti solo via Skype, però, mi atterrisce e non mi sento ancora pronta. E poi, con una botta di fortuna qualcosa la potrei trovare. Ora che ci penso, potrei anche provare con Telenorba, magari serve una editor in redazione... Mia madre interrompe il flusso dei miei pensieri.

"Perché sei abituata a lavorare tanto, e dunque questa apparente inattività ti sta sfibrando. Ma prendila come un'opportunità per fermarti a riflettere su ciò che realmente vuoi fare. Le battute d'arresto sono considerate come dei brutti momenti, ma vedrai che non sarà così."

"Domani mattina ho un appuntamento in un'emittente radiofonica," le confesso. Un'opportunità che mi ha procurato la madre dell'Orrido Cognato attraverso sue amicizie nel Circolo del bridge. E ho anche dovuto telefonare per ringraziare.

"Ecco! Che magnifica notizia! Di cosa si tratta?"

"Non ne ho la più pallida idea. È una specie di appuntamento al buio."

"Emma, tu hai esperienza di questo tipo?" chiede mia madre un po' sbalordita. Al che vorrei rispondere che sono innumerevoli le esperienze che ancora non ho fatto, ivi incluso l'appuntamento al buio, ma che, considerata la precarietà dei tempi e l'avvicendarsi di pericolosi frangenti, non posso neppure concedermi il lusso di escludere che un giorno anche questo potrebbe accadere.

L'indomani, in tailleur di lino color avana, mi reco all'indirizzo fornito dalla suocera di Arabella e citofono a Radio Astra.

"Buongiorno. Sono Emma De Tessent e ho appuntamento con la signorina Rivalta."

"Prego, si accomodi."

La signora che mi apre la porta ha un look da suora mancata con camicetta bianca, gonna blu sotto il ginocchio, calze quaranta denari e sandalo ortopedico. E poiché la sala in cui mi ha fatta entrare ha le pareti tappezzate di foto di papa Giovanni Paolo II e papa Francesco, con varie preghiere all'Onnipotente che in questo momento potrei anche far mie

– non si sa mai che funzionino –, ho pochi dubbi sui contenuti di questa emittente radiofonica dal nome del tutto inappropriato.

"Mi perdoni, ma il nome della vostra emittente è Radio Astra?"

"No, non più! L'emittente è stata rilevata e trasformata dalla nostra dirigenza in Radio Gioia Divina, e stiamo selezionando personale per un progetto nuovo e ambizioso."

Annuisco piena di speranza e la signora mi strizza l'occhio con complicità. Dopo appena cinque minuti, la signorina Rivalta mi riceve.

Costei è una persona sobria e gentile, forse la più carina con cui io abbia avuto a che fare nell'ultimo mese. Mi parla delle trasmissioni in palinsesto e di quello che dovrebbe essere il mio lavoro: redattrice dei testi dei tre tg giornalieri.

Be', poteva andarmi decisamente peggio. Anche se il mio sogno è di occuparmi di transazioni di diritti, la mia formazione è quella di editor e pertanto questo tipo di posizione ha una sua linearità rispetto al mio curriculum e al mio percorso professionale. E anche se non posso dire di fare salti di gioia, né che si tratta del coronamento dei miei sogni, può tamponare la mia fame di lavoro mentre con calma mi guardo attorno cercando qualcosa di più idoneo. Insomma, per conto mio, sono pronta a tuffarmi senza colpo ferire e la signorina Rivalta sembra entusiasta.

"Leggo sul suo curriculum che ha lavorato a lungo nel campo della produzione cinematografica... in futuro vorremmo lanciare una rubrica dedicata alla cinematografia religiosa agiografica, potrebbe anche occuparsene lei! Magnifico!"

Insomma, è tutto un trillare di gioia e felicità, all'insegna della benedizione dello Spirito Santo e di una mia intima e reconditа costernazione di fronte all'Altissimo per tutte le volte in cui ho dubitato della sua esistenza, quando la signorina Rivalta mi espone la necessità di un ultimo requisito necessario alla mia assunzione.

Una pura formalità.

"Vede, monsignor Villongo – il presidente della nostra emittente – ha richiesto che prima dell'assunzione ogni dipendente consegni le referenze firmate da due diversi religiosi. Sono costretta a farle presente che ho molta fretta nel richiederle questi documenti. Vede, c'è un'altra persona in lizza per il suo posto. Ora, anche in virtù della sua amicizia con la signora De Boni – oltre che per il suo rimarchevole curriculum –, è chiaro che lei è la nostra prima scelta. Ma abbiamo urgenza di chiudere il contratto, e l'altro candidato ha già presentato le referenze... ecco..."

"Ho capito, certamente! Sarà mia cura farle avere tutto entro..."

"Diciamo... due giorni? Sono sicura che questo non sarà un problema per lei, signorina De Tessent!"

"Chiaro!"

"Ma non è possibile che non conosciamo nessun prete, mamma!"

"Tesoro, siamo una famiglia di giacobini."

Mia madre, che non sembra prestarmi molta attenzione, sta preparando una pastiera per le Nipoti che stasera avremo a cena e che resteranno a dormire da noi perché Arabella e l'Orrido Cognato sono invitati a un matrimonio fuori Roma. Contribuiamo, nel nostro piccolo, a un tonificante revival coniugale.

"Niente di niente? Neanche indirettamente? Non so, chi mi ha battezzata?"

"Sarà morto a quest'ora. Hai la tua età."

"Ma che cavolo, mamma! Rischio di perdere quest'opportunità! Dove li trovo in due giorni due religiosi che fingano di conoscermi e dicano cose superbe sulla mia osservanza dei valori cristiani?"

"Non li troverai, infatti."

"Mamma, sai proprio come aiutarmi."

"Signorina Emma De Tessent, nel raggio delle nostre conoscenze non figura nemmeno lontanamente un religioso e la cosa non ti ha mai disturbato finora. Ma potresti sempre chiedere a Maria De Boni."

Che è colei che mi ha raccomandata, la suocera di Arabella. E mi sembra una forzatura che preferirei evitare.

"Oppure potresti presentarti al parroco della chiesa più vicina e spiegare la situazione. E confidare nella Provvidenza divina."

Finalmente mia madre ne ha detta una giusta. Potrei giurargli di intraprendere un cammino di fede a decorrenza immediata, e magari un caritatevole uomo di Dio, con un pizzico di fortuna, mi crederà e mi aiuterà.

7.

La tenace stagista resiste alle intemperie

Quando uno prende una china negativa, non può aspettarsi che all'improvviso le cose si rimettano a posto. Bisogna trovare la forza di fronteggiare la valanga senza dimenarsi troppo per combatterla. Esattamente come un giunco che aspetta che passi la piena.

Come del resto era prevedibile, non ho trovato uno straccio di prete che scrivesse le referenze; naturalmente, parte del merito va a questa sfortuna da esorcismo che mi sta perseguitando: il parroco della chiesa più vicina era a letto con una brutta influenza e non ha potuto ricevermi. Arabella aveva parlato con la suocera per trovare qualcosa in tempi brevi, ma anche lei ha fatto un buco nell'acqua. Ho chiesto alla signorina Rivalta più tempo ma, costernata all'inverosimile, ha fatto presente di non potermene concedere.

E così, quel posto che nemmeno era tanto appetibile ma che era l'unica cosa accettabile che avessi trovato in trenta lunghi giorni, è andato a qualcuno con un curriculum meno brillante, ma che è nelle grazie della Madre Chiesa. Il tutto in un complessivo e chiaro ordine delle cose contro cui in questo momento mi sembra persino inutile lottare. Ed è proprio quando sono vicina all'abbrutimento definitivo, quando stento a riconoscere l'immagine di me che vedo riflessa allo specchio, tanto sono scure e profonde le mie occhiaie, che ricevo una telefonata di Manzelli:

"Novità. Ti aspetto in ufficio oggi in tarda mattinata".

Che si avvicini la fine delle mie sofferenze? Mi precipito alla Fairmont come se ad avermi dato appuntamento fosse stato Brad Pitt, incurante del rischio di incontrare Maria Giulia, che malauguratamente incrocio alla macchinetta del caffè. Bisogna riconoscerle che non ha il coraggio di guardarmi negli occhi, il che almeno indica la sopravvivenza, in lei, di una forma atavica di pudore che resiste nonostante la vita in questo ambiente.

"Tu lo sapevi. Ammettilo."

Sono io a rivolgerle la parola per prima. Un incipit che ho formulato tante volte nelle mie notti insonni, quando intavolo lunghe recriminazioni contro i fantasmi di chi mi ha fatto soffrire.

"Emma... non riuscivo a trovare le parole giuste per dirtelo."

"Spiegami come hai fatto. Giusto per imparare da te come dovrò fare, la prossima volta."

"Io non ho fatto niente!" si schermisce, indignata.

Sembra davvero ferita e per un attimo – solo un attimo – mi sento vile ad accanirmi contro chi probabilmente ha come unica colpa quella di aver fatto il proprio gioco, di aver lavorato nella direzione dei propri interessi. Come è giusto, come fanno tutti, come facevo anch'io prima di perdere a quello stesso gioco. Non posso scusarmi, se anche volessi farlo, o comunque non subito, perché Manzelli mi convoca nella sua stanza picchiettando sul vetrino dell'orologio e annunciando che ha poco tempo.

"Non ti chiedo di sederti perché purtroppo sono di fretta, devo scappare a una riunione," esordisce mentre recupera dalla scrivania il cellulare e se lo infila nella tasca dei pantaloni.

"Come ti avevo già anticipato, ero profondamente dispiaciuto per la tua situazione e ho fatto un estremo tentativo in tuo favore con la Direzione. Sono riuscito a ottenere un contratto a progetto della durata di sei mesi, con un gettone di settecento euro al mese. Al momento è una retrocessione per te, lo capisco bene, ma è un modo per rimettere il piede dentro, in attesa di un vero contratto che, mi hanno garantito, arriverà subito dopo. A meno che tu non abbia trovato di meglio, si capisce..."

Ci sono momenti nella vita in cui devi scegliere se vendere la tua pelle per quattro soldi nell'ottica di un disegno più grande, o se devi resistere, salda nella convinzione che le cose si aggiusteranno, e che allora la svendita di ciò che sei e di tutto ciò che puoi dare in un futuro potrebbe solo ritorcersi contro, perché qualcuno potrebbe ricordarsi al momento sbagliato che sei stata capace di scendere a compromessi.

Ecco, io devo discriminare una scelta dall'altra.

E malgrado non desideri altro che firmare immediatamente un contratto, di qualunque forma e natura, pur di sentirmi parte di qualcosa, penso che così facendo darei qualcosa di me che non sono disposta a cedere: la dignità. E naturalmente non è una questione di soldi.

"Allora, Emma? *It's up to you*," mi incalza Manzelli, che nel frattempo nella tasca dei pantaloni ha messo anche le chiavi ed è già pronto a congedarmi. "Ti serve tempo per pensarci?"

"No, mi serve tempo per risponderti. È diverso. Capisco che sei di fretta ma merito cinque minuti per dirti che no, non accetto, e voglio spiegarti il motivo. Non perché non desideri tornare alla Fairmont, ma perché ho subìto un'ingiustizia. In realtà, in tanti anni ne ho subite mille, ma diciamo che non accetto questa ingiustizia numero milleuno. Non lascerò correre. Non accetterò un contratto che è evidentemente iniquo. Servo o no, alla compagnia? Bene, se servo, che mi assuma. Diversamente, che mi lasci libera."

"Emma... vivi fuori dalla realtà. Ti sei resa conto che ci troviamo nel pieno di una recessione mondiale? E il nostro settore non salva vite, diciamoci la verità. Dovresti essermi grata per ciò che ti sto proponendo. È solo un incidente di percorso; la compagnia ha bisogno di pareggiare il bilancio, poi rimetterà a posto le cose con tutti coloro che sono nella tua stessa condizione, in ciascuna sede nazionale."

"Se la Fairmont è disposta a perdermi... io sono disposta a perdere la Fairmont. Ti sono grata dell'offerta, ma credo che al momento per me sia meglio aspettare la proposta di un contratto più equo."

Manzelli sembra incupito. "Non so cos'altro dirti. Se ci ripensi, fatti viva. Non farò parola alla Direzione del tuo rifiuto, così la proposta resterà in piedi per un po'. Hai bisogno di riflettere. E ora, Emma, devo proprio andare."

"E così, hai rifiutato," dice mia madre. Percepisco una nota di orgoglio nella sua voce. Sulla sua poltrona in salotto, una cesta con tutto il materiale per i suoi ricami a punto croce ai piedi, tra le mani un lenzuolo per Valeria cui si sta applicando con attenzione.

"E non so se ho fatto bene. Subito dopo essere uscita dall'ufficio di Manzelli ero già pentita. Del resto, è un contratto svantaggioso, ma durerebbe solo sei mesi..."

"Ascoltami, Emma. Non sono stata capace di trovarti le referenze di un religioso, ma attraverso una conoscenza del povero Sinibaldi ti ho procurato un appuntamento."

Sono sorpresa. "Ma dai. Il buon Sinibaldi continua a proteggerci dall'alto."

"Era una così cara persona," mormora la mamma con una voce mestissima, senza staccare gli occhi dal trenino rosa che sta ricamando.

"Spiegami meglio."

"Questa persona si è offerta di procurarti un appuntamento con Pietro Scalzi, il presidente della sede italiana della Waldau. Mi sembra di ricordare che tu non abbia mai preso contatti con questa casa di produzione, o sbaglio?"

Orbene, le ragioni per cui ho depennato la Waldau dalla mia personale job list sono molteplici. Tanto per cominciare, è una casa di produzione di film indipendenti con un assetto da radical chic che mi dà sui nervi. Quelli della Waldau, in qualunque tipo di circostanza li incontri, non ti guardano nemmeno, vivono nella loro dimensione inarrivabile e se la tirano pensando che il vero cinema lo fanno solo loro. Peraltro è una compagnia relativamente giovane, nata in Norvegia appena dieci anni fa, che si è rapidamente espansa in tutta Europa dopo una serie di successi planetari di critica (ma assai più deludenti, quando si parla di numeri). Quindi ho qualche dubbio sulla reale liquidità della Waldau e, se la Fairmont vive delle difficoltà, figurarsi loro. E così, non ci ho mai neanche provato.

"Sarà un buco nell'acqua. Alla Waldau sono snob."

"Tesoro mio, anche tu sei un po' snob."

Questa poi. "Per quando è fissato l'appuntamento?"

"Venerdì alle 9.30. Giocatela."

C'è sempre una ragione nell'ordine delle cose. È il mantra di Tameyoshi Tessai, e da un po' di tempo anche il mio.

È venerdì mattina. Seduta da sola al tavolo della colazione, navigo sull'iPad per la mia personale rassegna stampa quotidiana e mi imbatto in una notizia che tramuta in veleno la razione di biscotti che mi sono appena concessa.

Afferro il telefono e chiamo Maria Giulia.

"Ciao, cara! Ti chiamo per porgerti i miei complimenti più sinceri, ho appena letto la notizia." La mia voce è abbastanza stridula, ma non riesco a controllarla.

"Scusami, Emma... quale notizia?"

"Ma come, quale notizia! Non sapevo che il tuo fidanzato fosse il nipote del sottosegretario alla Cultura! Che fortunatissima coincidenza che suo zio abbia concesso dei fondi alla Fairmont per il finanziamento di quel film orribile su cui tu lavori da un po'!"

"Emma, vacci piano con le deduzioni, non è come sembra."

"No, ma certo! Nessuna deduzione, figurati. Cosa vuoi che deduca. È ovvio che è un caso, e naturalmente questo non ha niente a che vedere con il tuo contratto. Proprio per questo desidero porgerti le mie felicitazioni e scusarmi per i toni di qualche giorno fa, davvero spiacevoli."

Maria Giulia tira su col naso. "Non ne sapevo niente. Che tu ci creda o no."

Certo. Si sa che in questo paese le agevolazioni avvengono sempre all'insaputa dell'agevolando.

"Ti credo. E ti auguro ogni cosa bella."

Se è furba, sta facendo gli scongiuri. "Non ci rivedremo? So che Manzelli ti ha procurato un contratto e..."

"Non so, davvero. Tornerei solo per affetto, ma in pentola bolle altro."

"Oh. Capisco. Be', Emma, tu vali. Tu vali davvero. Io ti auguro buona fortuna, perché la meriti più di chiunque altro."

Per la seconda volta, con il suo tono da piccola fiammiferaia, mi fa sentire una vipera della sabbia.

Ed è con questo stato d'animo di derelizione che coloro appena le guance, passo un po' di lucido sulle labbra, infilo il solito tailleur di lino avana e mi presento alla Waldau, senza più sapere nemmeno cosa sperare.

8.

La tenace stagista e il Produttore

Gli uffici della Waldau si trovano in un elegante edificio del quartiere Prati e sono arredati con gusto scandinavo. Tanto bianco, tanto legno apparentemente grezzo, tessuti naturali, pareti tappezzate di foto in bianco e nero tratte dai maggiori successi della Waldau, incluso quel bellissimo film con quell'attrice francese che, non lo ammetterei pubblicamente nemmeno sotto tortura, è in assoluto uno dei miei preferiti.

Una donna boccolosa mi ha fatto accomodare in sala d'attesa, in compagnia di un impersonale sottofondo jazz in filodiffusione.

"Il dottor Scalzi è pronto a riceverla," mi dice una decina di minuti dopo.

Il passaggio da quel jazz svuotacervello a *Walk* dei Foo Fighters che Scalzi sta ascoltando a un volume troppo alto ha un effetto un po' stordente. Non appena si accorge del mio ingresso, zittisce la musica con un magico tocco sul trackpad del mega Mac che ha sulla scrivania.

Di primo acchito, non saprei se definirlo affascinante o no. Quarant'anni certamente superati, decisamente di alta statura, indossa con discreta classe una camicia blu su pantaloni beige, porta i capelli con un taglio piuttosto lungo, di un color biondo cenere striato di grigio. Il naso sembra quello di un uomo abituato alle risse, grande, scarno e tutto irregolare, e le labbra sono piuttosto sottili.

"Lei è Emma De Tessent?" chiede, squadrandomi. "Gloria, chiudi la porta," aggiunge rivolto alla donna tutta boccoli.

Annuisco, un po' intimidita. Ha una prestanza fisica che soverchia. Mi accorgo che ho anche iniziato a sudare, il che è anomalo poiché l'ambiente è perfettamente climatizzato.

"La ringrazio per avermi fatto avere il suo curriculum, che ho esaminato con attenzione."

La dentatura dell'arcata inferiore è un disastro, e anche il suo sorriso è talmente grande da essere sproporzionato rispetto al volto, per cui dovrebbe decisamente sorridere di meno. Eppure più lo guardo, più credo che quest'uomo sia bellissimo.

"E mi ha molto impressionato."

Una vampa di fuoco e di gioia attraversa la mia intera persona. Scalzi tiene in mano il mio curriculum e lo sfoglia di nuovo, senza più guardarmi. Lo ripone sulla scrivania e si avvicina a un tavolino di legno naturale, su cui sono poggiate una macchinetta per caffè americano e due tazze di Starbucks.

"Caffè?"

Annuisco.

"Zucchero?"

"No, grazie."

Si mette a sorseggiare dalla sua tazza e si siede sulla poltrona girevole. E mi scruta a lungo, con uno sguardo che emana una forza molto sottile, tutta cerebrale, di colui che sa di non avere niente da dimostrare, ma senza traccia d'arroganza.

Mi fa domande di ogni tipo, ma non è inquisitorio. È piuttosto un gradevolissimo dialogo in cui anche lui esprime le sue vedute, senza mettersi nella posizione del capo che può tutto ciò che vuole. L'ultimo film che sono andata a vedere, cosa ne penso di questo o quell'altro regista emergente. La pellicola che ho visto per cento volte senza stancarmi mai e quella che avrei voluto produrre se avessi avuto i fondi. Cosa facevo alla Fairmont, cosa ho apprezzato della Waldau, e cosa invece ho proprio detestato – "Suvvia, sia sincera" –, cosa mi piacerebbe fare, per la Waldau.

Ha un bel modo di mettere a proprio agio, riesce a farmi parlare di me con naturalezza. Questo è forse il miglior colloquio che abbia sostenuto da quando ho perso il lavoro alla Fairmont, e il merito è mio, ma anche suo. Una sorta di magia.

"Vede, lei è una persona intrigante. Proprio per questo, signorina De Tessent, sono incazzato."

Mi sento confusa. Dov'è finita la magia?

"Prego?"

"Perché lei non aveva bisogno di ricorrere ai soliti mezzucci che stanno rovinando questo paese."

"Quali mezzucci?"

"E me lo chiede, anche? Sono stato vessato di telefonate da parte di una persona che mi pressa affinché io la assuma. E posso giurarle che poche cose sono più odiose."

"Oddio, io sono davvero costernata..."

"Vede, la cosa buffa è che il suo curriculum..." si interrompe, come se davvero avesse difficoltà a controllarsi. "In più lei è una persona molto, molto interessante."

"Be', allora è questo che importa. Mi creda, io non ho responsabilità se lei ha ricevuto quelle telefonate."

Ed ecco il momento cruciale. Ecco che anch'io sono una persona cui le cose accadono all'insaputa. Non sono diversa da Maria Giulia, neanche un po'. Mi sento folgorata e travolta dalla mortificazione.

"Ma davvero?" chiede lui, con un sarcasmo offensivo.

"Guardi, anch'io detesto le raccomandazioni. La prego, finga che nessuno l'abbia chiamata. Faccia come se io mi stessi presentando senza alcuna raccomandazione. Lasci che a parlare sia il mio curriculum. E questo colloquio."

"Non posso, perché sappiamo entrambi che non sarebbe vero."

La gentilezza ha ceduto il passo a una freddezza dolorosa.

"Dottor Scalzi, lei non sa cosa ho passato." Il mio tono è talmente pietoso che suscita orrore alle mie stesse orecchie.

"No, signorina, non lo so. Immagino sia passata attraverso tante difficoltà, immagino stia toccando con mano quanto possa essere crudele il nostro ambiente e sono sicuro che sia sconvolta ma, detto francamente, non sono alla ricerca di nuovo personale e, se davvero vuol saperlo, assumerla sarebbe una forzatura."

Mi sento scossa. "Ha finito di umiliarmi? Lei non sa niente di me. Pensa di aver capito tutto solo perché ha ricevuto una stupida telefonata."

"Non voglio umiliarla."

"Lo sta facendo!" esclamo. "Scommetto che lei non ha la più pallida idea di cosa significhi elemosinare un lavoro. Se ne sta qui, in questo meraviglioso ufficio, comanda e produce, non ha bisogno di contare fino a dieci prima di cazziare un sottoposto e non pensa alla miriade di formichine, sotto di lei, che vivono alla giornata."

"È vero, non ci penso. E neanche lei ci pensava, fino a qualche tempo fa. Ne sono sicuro. Cosa è successo alla Fairmont?"

"Non la riguarda."

"Se devo assumerla..."

"Lei non ha nessuna intenzione di assumermi."

"Ma questo lei non può saperlo."

"Ma se ha appena detto che sarebbe una forzatura?"

"Non lo nego. Ma io ho il potere di farle, le forzature, se ne vale la pena, negli interessi della compagnia."

"È evidente che la sua compagnia non ha bisogno di una come me."

Lo dico alzandomi, mentre mi sento stanca come se avessi perso una battaglia.

Scalzi non risponde. Mi osserva, finendo di bere il suo caffè con lentezza. Gli faccio un cenno con la mano, quando sono arrivata ormai alla porta.

"Nonostante tutto, sono felice di averla conosciuta. Arrivederci, dottor Scalzi."

Non piango per decoro.

Immaginavo l'ennesima delusione, ma non di questa portata. Inizio a credere che dovrei chiamare Manzelli e accettare quel contratto a progetto. È un'ignominia, ma tra me e il baratro la distanza ormai è troppo breve.

Ho bisogno di lavorare. E non solo per i soldi, ma soprattutto perché sto scoprendo che, senza un posto in cui recarmi ogni mattina, senza la sicurezza di sentirmi parte di un motore produttivo, mi sento smarrita.

Ho camminato senza meta e non so neanche in quale via mi trovo. Non troppo lontana dalla Waldau, immagino. Ho già selezionato tra i contatti quello di Manzelli. Sono pronta a chiamare quando mi imbatto in una piccola bottega con la porta in legno in stile rétro, di un delicatissimo color polvere. Osservo le vetrine, talmente frou-frou che, per un momento, ho l'impressione che sia una pasticceria. Guardando bene, mi accorgo che è un negozio di abiti artigianali per bambini, uscito direttamente dal paese dei balocchi.

Potrei fare un regalo a Maria e a Valeria. Solo la bellezza mi può salvare.

Dopo aver aperto la porta e sentito un tintinnio di campanelline, mi accorgo del cartello.

Due parole vergate con una grafia bellissima.

Cercasi aiutante.

Ed è così, animata da un impulso più forte di me, come Aurora destinata a pungersi il dito con la punta dell'arcolaio, senza sapere cosa dire, né tanto meno come dirlo, timidamente... entro.

9.

La tenace stagista coglie una sorprendente opportunità

L'interno del negozio è di quella squisita dolcezza di gusto delicato che ha sempre avuto su di me un effetto ipnotizzante. Sono convinta che, finché esisteranno luoghi così, non avrò bisogno di psicofarmaci. Tutto è conservato in antiche credenze riverniciate dello stesso color polvere della boiserie. Ogni lume è vintage e rivestito di broccato e pizzo. E l'ambiente è profumato con una fragranza al miele.

I modelli degli abiti esposti sono semplici, ma le rifiniture e i materiali pregiati. Il punto di forza è la scelta delle tinte: tonalità tenui e profondamente evocative. Così il rosa non è solo rosa, ma è la precisa tonalità della parte più nascosta del petalo di una rosa tea. Come l'azzurro appartiene ai più luminosi crepuscoli, e il giallo ricorda la più dolce delle creme pasticcere. Sono differenze sottili eppur significative, le stesse per cui il lilla non è lilla ma è malva, il marrone non è marrone bensì cannella... e così via.

Sono innamorata.

Adoro anche le etichette, ognuna vergata a mano in carta grezza dalla stessa calligrafia del cartello all'ingresso.

"Posso aiutarla?"

Chi me lo chiede è una settantenne con i capelli lunghi e folti, una cascata bianca come una magia di neve. I polsi sottili sono pieni di bracciali color bronzo e argento e lei indossa una camicetta di seta color senape su pantaloni fiorati e delle scarpe di tela un po' consunte ma che hanno tutta l'aria di essere comodissime.

"Prendo questo... e questo," dico porgendole due abiti estivi di cotone perfetti per Maria e Valeria.

"Ottima scelta. Questo merletto viene dalla Francia, lo compro personalmente a L'Isle-sur-la-Sorgue. È antico, ma molto resistente. Anche perché, vede, questo tipo di ricamo... nessuno sa più farlo oggi."

"Lei... sta cercando un'aiutante?"

Sento qualcosa che tocca i miei polpacci. Mi giro d'istinto e incrocio lo sguardo di un levriero afgano. Con la scriminatura al centro della testa, una sovrana eleganza e un manto che pare di seta, giuro che è qualcosa di sontuoso.

"Ha paura dei cani? Lui è Osvaldo."

"No, scusi. Sono solo sorpresa, non lo avevo visto in giro."

"Osvaldo è molto discreto. Stava chiedendo se cerco un assistente?"

"Sì," ribatto, tutta un rossore.

"Perché, sarebbe interessata?"

"Be', sì..."

"Sa cucire?"

"No."

"Sa vendere?"

"Non lo so. Non ho mai provato."

"Ha bisogno di un lavoro?"

"Ho bisogno di bellezza."

La donna, che aveva un che di frettoloso nel tono e nello sguardo, improvvisamente si ferma. Stava confezionando gli abiti delle Nipoti avvolgendoli in una delicata carta velina, passando attorno alla confezione un fiocco di raso a pois.

"Capisco cosa intende. Arrivata alla mia età il bisogno diventa più che una necessità. Diventa strumento di sopravvivenza. Guardi le mie mani," aggiunge, mostrandomele. Una grossa fede ormai opaca all'anulare, smalto lucido, unghie cortissime. E una dolorosa nodosità a tutte le falangi.

"Lavorare con queste mani è sempre più difficile. Continuo a cucire e a ricamare, ma con enorme difficoltà. Ho bisogno di qualcuno che conosca almeno i rudimenti del cucito, per semplificarmi il lavoro di base, e che mi assista anche nelle vendite. Ormai mi è di peso persino preparare queste semplici confezioni. Ma questo sarebbe il compito più facile."

Chino lo sguardo. Sono una sciocca, una sciocca impulsiva che non riflette prima di agire. Cosa mi aspettavo? Che mi aprisse le porte di questa bottega delle meraviglie? A me, una che nella sua vita ha usato gli aghi solo per pungere allo specchio i brufoli maturi?

"Come si chiama?" mi chiede, sfiorando la mia mano.

"Emma. Emma De Tessent."

"Che nome romantico! Io sono Vittoria Airoldi." Le sorrido e le stringo la mano. "Ascolti. Non ho fretta di trovare una persona che sappia già cucire ma che poi si rivela sbagliata per altre ragioni. La verità è che al giorno d'oggi mestieri come questo non li pratica più nessuno. Le ragazze vogliono fare altri lavori, sono ambiziose. Gli artigiani sono in via d'estinzione. Quindi... che ne pensa di un mese di apprendistato? E vediamo come va. Il cucito è un dono innato. Se si è capaci, lo si vede subito. E poi decideremo insieme il da farsi."

Osvaldo mi dà un piccolo colpetto col naso umido e, dato che c'è, anche una leccatina alla punta delle dita.

"Piace a Osvaldo! Questo per me è molto importante. Lui è più bravo di me nel capire le persone."

"Signora Airoldi... io vorrei accettare."

"Lo faccia, allora!"

"Non è che qualcosa di me le ha fatto pena e vuole solo aiutarmi?" L'ho detto. Come mi sia venuto in mente, non lo so.

Forse è per via dell'inadeguatezza che sento dopo l'incontro con Scalzi.

La signora Vittoria strabuzza gli occhi. "Cara... lei ha l'aria di chi è stata in un mare di guai. Ma non le sto facendo la carità. Sto ipotizzando un tentativo."

"Non vorrei deluderla e farle perdere tempo."

"Ce ne accorgeremo subito se funziona. Vedrà. Nessuna perdita di tempo. Alla peggio mi farà un po' di compagnia. E poi lei non mi sembra una scansafatiche. Sono sicura che farà del suo meglio."

"Su questo ci può giurare."

"Bene. Allora, cominciamo domani? Tutti i giorni, dalle nove alle diciotto. Il sabato chiudo alle tredici. Per questo mese le darò una cifra simbolica, che lascerò definire a lei, confidando nel suo buonsenso."

"Naturalmente."

"Un'ultima cosa, cara... questo color avana... non le dona. Non lo usi più, mi dia retta!"

10.

La tenace stagista alla fiera della vanità

Mia madre accoglie la notizia del mio apprendistato con una nota di preoccupazione.

"Emma, tu non... Ecco io non sono proprio convinta..."

"Dici che avrei fatto meglio ad accettare il contratto a progetto di Manzelli?"

"Non so. Aspettare, forse. A proposito, quell'amico del compianto Sinibaldi era mortificato. Mi ha detto che Scalzi è un cavernicolo."

Sollevo lo sguardo dal monitor del mio pc, fisso da un'ora sul video di un tutorial che spiega come cucire un bottone con quattro forellini, impresa del tutto fuori dalla mia portata.

"Non è affatto un cavernicolo. Anzi è una persona molto..." Mi rendo conto di non riuscire a trovare un unico aggettivo dotato di sufficiente efficacia nel descrivere l'idea complessa che mi sono fatta di Pietro Scalzi. "Una persona cui avrei voluto piacere, ecco. E dire che, lì per lì, mi sembrava si fosse creata una forte sintonia. Ma mi sono sbagliata."

"Non ti ha trattata bene," osserva la mamma, con lo stesso dispiacere che, sin dai tempi dell'asilo, le ho sempre letto negli occhi quando si accorge che qualcuno è ingeneroso con le sue figlie.

"Be', chi può dirlo. In realtà credo che abbiamo sbagliato. Mi sono presentata come 'l'amica di'. Concetto che lui odia, pare. La cosa più buffa di tutte è che lo odio anch'io ed è lo stesso che mi ha fatto perdere il posto alla Fairmont. Quindi, alla fine, Scalzi non aveva tutti i torti. Ma non voglio più pensarci, te ne prego. Ho bisogno di impegnarmi, di cambiare."

E proprio quando ho finito di pronunciare queste parole, sento squillare il mio cellulare. A chiamarmi è una redattrice che aveva fatto uno stage alla Fairmont qualche anno fa, prima di essere assunta da una casa di produzioni televisive che realizza trasmissioni per Real Time.

"Ciao Chiara," la saluto con tono neutro.

Come in parte prevedevo, ed ecco perché ero piuttosto riluttante a rispondere, Chiara allude alla mia attuale "pausa" alla Fairmont, e il modo in cui lo fa mi fa sentire una poveretta, cosa profondamente errata perché io non sono una poveretta, sto solo vivendo un momento di avverse fortune.

Taglio corto cercando di non manifestare risentimento, piuttosto sono tutta un cinguettio di pensieri zen sui vantaggi della mia nuova condizione.

"Emma, sono proprio felice di sentirti così assertiva! Avevo paura di trovarti un po' depressa. Allora sicuramente non sarà un problema per te partecipare alla festa che ho organizzato per i miei trent'anni, questo sabato. Ci sarà un po' di gente... che certamente conosci. Avevo paura che fossi un po' scottata e non avessi voglia di vedere nessuno..."

È esattamente così. Non ho voglia di vedere anima viva. Forse avrei dovuto darmi un freno, perché adesso che scusa invento?

"Ma certo! Verrei volentieri ma purtroppo ho un altro invito, proprio per sabato! Che disdetta!"

Chiara sembra sinceramente delusa. "Mi dispiace proprio. Be', se dovessi riuscire a liberarti, fatti sentire."

"Contaci. Grazie per aver pensato a me. Baci."

E riattacco, sentendomi come se avessi chiuso a stento e con la forza un bidone debordante di spazzatura.

Mamma ha l'aria incuriosita. "Hai rifiutato un invito per sabato?"

"Una festa di compleanno in ambiente produzioni. No, grazie."

"Certo, se non te la senti lo capisco... ma potrebbe essere un'opportunità."

"Ma di che, mamma..."

"Nuove conoscenze, nuovi stimoli... Se non vai, non potrai saperlo. Non hai niente da perdere."

"La faccia," ribatto, con eccessiva veemenza.

"Sei sempre così *tranchante*... Io credo che non andare sarebbe un errore. Del resto, Emma, anche se tu dovessi... ehm... imparare a cucire abiti per bambini, non vorrai credere di poter continuare a fare questo lavoro a lungo termine?"

"Perché no? Le donne non smetteranno mai di provare l'istinto di riprodursi. Quello dei bambini è un settore che non conosce crisi, proprio come quello dei becchini."

"Non è questo il punto. È un lavoro che non c'entra niente con te! È un ripiego. Sei solo ferita dalle delusioni degli ultimi tempi, e credi che rinchiuderti nel mondo dorato di quella piccola sartoria sia una soluzione. Ma io ti conosco. In fondo al tuo cuore, tu sogni di riprenderti il tuo posto alla Fairmont. Oppure – e qui darò prova di conoscerti come solo una mamma può conoscere la propria bambina – tu sogni che ti richiamino dalla Waldau e ti diano un'occasione. E io sono addolorata se questo non accadrà, perché sarà stata colpa mia."

Ha gli occhi lucidi. Forse è per farla contenta, o forse perché quel minimo di razionalità che mi resta le dà ragione, richiamo Chiara.

"Mi ero sbagliata, l'altro invito è per venerdì... Dov'è la festa?"

In un appartamento di circa settanta metri quadrati balconi inclusi vicino a via Nazionale preso in affitto da Chiara e dal suo compagno, alle undici di sabato sono compattate e compresse almeno cento persone. Soffoco.

Confesso che, dopotutto, non c'è nemmeno gente troppo sgradevole. C'è Maria Giulia con il fidanzato illustremente apparentato, ma dopo l'episodio alla Waldau guardo a lei con occhi nuovi, assai più benigni e tolleranti. Gli stessi con cui avrei voluto essere guardata da Scalzi, tanto per dire. Stavolta evita di chiedermi del mio contratto a progetto, e gliene sono grata. Quella è una ferita ancora suppurante.

Tra le dita ho un bicchiere di vino di quelli panciuti e ne ho già dimezzato il contenuto, quando incontro l'assistente di Scalzi. I boccoli sono ancora più aerodinamici, una tenuta che sfida le leggi dell'igrometria. È sola anche lei e ha un'aria molto gioviale.

"Signorina De Tessent!"

"Ti prego, Emma. A occhio e croce abbiamo la stessa età."

Lei sorride aggraziata. "Oh, non credo proprio. Io mi avvicino ai quaranta, ma lo prendo come un complimento. Comunque, io sono Gloria."

Mi porge la mano, ha una stretta vigorosa, quella di una donna che sa farsi valere. Segue uno scambio di chiacchiere superficiale e vacuo come ci si aspetta tra due sconosciute. Ma poi Gloria mi sorprende andando a parare verso uno scenario più personale.

"Emma, mi fa piacere averti rivista. Volevo dirti che mi dispiace tanto, per l'altro giorno."

"Oh, be'. I colloqui a volte vanno bene, a volte no."

"Non è solo questo. Scalzi mi ha detto tutto, dev'essere stato orribile."

Un momento. Che le ha detto?

"Niente di così grave. Una semplice divergenza di opinioni," minimizzo.

Gloria arriccia le labbra, come se non fosse del tutto d'accordo.

"Scalzi era talmente irritato... Pensa che mi ha chiesto di cancellare non so quanti altri colloqui, dicendo che non vuole più saperne perché la gente che cerca lavoro lo stressa. Non ha proprio funzionato. Eppure il tuo curriculum..."

Che infame. È andato a spiattellare tutto alla sua assistente. Buon Dio, con che sostanza li crei questi uomini? Con la stessa materia degli incubi? Non è una questione di testosterone, ma di quella rara e preziosa capacità di essere al di sopra di ogni cosa che è "piccola" perché dipende da una profondità del modo di essere che, secondo il mio personale metro di giudizio, è la materia prima con cui dovrebbe essere fatto un uomo. O quantomeno l'uomo che piace a me.

"Mi aspettavo una persona un po' più riservata."

"Oh, è pieno di difetti. Un pessimo capo."

"Un po' difficile trovare un ottimo capo," aggiungo a disagio.

"A te sarebbe piaciuto essere presa in considerazione?"

La stizza... che amica poco sincera. Fa dir cose di cui ci si pente dopo due minuti.

"Non era che una delle possibilità. Neanche la più appetibile."

"Hai già trovato qualcos'altro?"

"Sì, naturalmente."

Ecco. Così la boccolosa Gloria potrà riferire a Scalzi che non sono qui che mi struggo perché lui non mi ha presa.

Mia madre ha ragione. Non sono tipo da laboratorio di sartoria. E infatti, anziché pensare all'impuntura che stamattina ho imparato dalla signora Airoldi, non faccio che rimuginare su quanto vorrei dimostrare cosa valgo, a Manzelli, a Scalzi, e a tutti quelli come loro.

11.

La tenace stagista fa i conti con il passato

Un po' di tempo è trascorso e, un giorno dopo l'altro, ho imparato le basi del cucito.

Non direi che me la cavo benissimo, poiché l'impazienza mi penalizza. E, secondo la signora Airoldi, è un brutto difetto che devo necessariamente imparare a controllare.

Delle vendite mi occupo pressoché soltanto io, in maniera che lei possa cucire. E nei tempi morti io cucio con lei. Mi sembra sufficientemente soddisfatta. Per quanto riguarda me, poiché tutte le case di produzione che ho contattato continuano a tacere, non mi resta molto altro da fare, in questo momento.

Mi sono anche lanciata in qualche proposta di ampliamento del marketing, ma la signora Airoldi – che ha il suo bel caratterino – cassa tutto senza pietà.

"Potrebbe creare un sito web con un catalogo di tutti i modelli e impostare un sistema di vendita online. Lo sa meglio di me quanto sono fanatiche certe mamme che vogliono solo materiali naturali, modelli esclusivi... comprerebbero da tutta Italia."

"Ma io non riuscirei a star dietro a una mole di lavoro superiore a quella che ho."

"Be', almeno una pagina Facebook!"

Sul volto rugoso di Vittoria si disegna un'espressione di ribrezzo.

"La mole di lavoro non dovrebbe spaventarla. Potrebbe trovare un'altra aiutante. Una vera aiutante, che sappia cucire bene," insisto.

"Avrei sempre da ridire. Paradossalmente, è più facile forgiare qualcuno a propria immagine, anziché confrontarsi con qualcuno che si crede esperto e fa le cose a suo modo. Oh, a proposito di madri fanatiche. Questa la conosco bene. È tutta tua!" dice Vittoria, alludendo alla porta appena aperta da una donna molto alta, molto bionda e molto chic. Che è Hanna.

Quella Hanna.

Che appare confusa, come se mi conoscesse.

Però noi non ci conosciamo. Io so perfettamente chi è lei – quale amante non cerca di conoscere tutto della *Moglie*, anche il suo numero di scarpe? È un'esplorazione necessaria. Aiuta in maniera determinante a farsi del male, attitudine psichiatrica che non manca mai alla donna che vive il ruolo di *Altra*. Alcune volte ho sognato di conoscerla davvero, di entrare in casa sua e studiare i piccoli dettagli che dicono tanto di una persona. Ci sono fiori freschi nei suoi vasi? Lava l'acquaio della cucina dopo ogni pasto, o lascia correre e lo fa solo la sera? Com'è il suo armadio? Cosa c'è sui suoi mobili? Cornici con foto di famiglia? Statuine di porcellana di Copenaghen? Inutili ciotole d'argento che qualcuno le ha regalato per il matrimonio? O invece una sobria leggerezza nordica riduce al minimo le suppellettili?

Chi è davvero Hanna? E soprattutto, è giusto che la sera, quando condividono lo stesso letto e magari si abbracciano, Carlo abbia ancora su di sé il mio odore? Perché la presenza di un'Altra non la cancella nemmeno la doccia più accurata. Per tutti quegli anni, pensieri di questo tipo ruotavano intorno all'immagine di Hanna, come elettroni impazziti intorno al nucleo dell'atomo. Ed è sempre stato un contatto doloroso.

Vorrei dileguarmi con una scusa e lasciare la spinosa cliente alla signora Airoldi, ma Hanna si dirige verso di me con decisione. Credo di essere molto pallida.

"Buongiorno." Il suo accento francese è delicato, il tono è quello di chi non aspettava altro se non incontrarmi. O forse mi sto dirigendo a rapide falcate verso uno schianto paranoico.

"Sto cercando due completi di lino, adatti a una festa di compleanno."

"Per maschietto?"

"Sì."

"Due completi uguali? Come taglia, cinque anni può andar bene?"

Ecco, mi sono tradita penosamente. Come faccio a sapere che i figli hanno cinque anni?

La signora Airoldi, che era rimasta in disparte seduta sulla poltrona con Osvaldo acciambellato ai suoi piedi, solleva lo sguardo dal ricamo, incuriosita.

Ma Hanna è distratta. Annuisce, mentre con la mano accarezza un abito per bambina color nuvole di sera che ho finito di cucire ieri e che è poggiato su una gruccia rivestita di raso.

Prendo dal cassetto due camicie di lino bianco, due bermuda color canapa e delle bretelle.

"Che ne pensa di questo genere?"

"Grazioso. Altro?"

"Emma, prendi le salopette a righe bianche e azzurre con i bottoni blu e la cintura in vita."

"Buongiorno, signora Vittoria, non l'avevo vista!" esclama Hanna, un sorriso aperto. "Ha trovato un'aiutante, alla fine," aggiunge.

"Emma è molto preziosa," conferma, mettendosi in piedi

e salutando la cliente con una garbata stretta di mano. "Come stanno i suoi bambini? Si avvicina il loro compleanno, metà luglio, se ricordo bene."

"*Oui*... Il tredici luglio." La sua voce è così deliziosa che mi meraviglia che Carlo possa aver desiderato di ascoltarne altre. Inclusa la mia, e so già per certo che non è stata la sola, né prima né durante quegli anni; sul dopo, per mia fortuna, non saprei garantire.

Nel frattempo, ho preso le salopette.

"Oh, queste sono incantevoli!" esclama Hanna, sfiorando il cotone con la punta delle dita ben curate. "Non è vero?"

"Be', sì."

Maledizione, sono talmente tesa e innaturale che ci manca poco che le dica tutto d'un fiato *Sì Hanna, per quattro anni ho avuto una torbida relazione con tuo marito. Che mi ha anche scaricata, altrimenti non posso escludere che sarebbe continuata. Mi dispiace, da morire. Ho orrore di me stessa e di quello che ti ho fatto. Se potesse servire a rimediare, ti chiederei scusa, ma non ho mai creduto che dire questa semplice e banale parolina possa cancellare la gravità di quello che si fa.*

Poi è la volta delle camicette da abbinare e delle calze.

Hanna è del tutto appagata dalla scelta.

Alla cassa, aggiunge l'abito per bambina che aveva puntato sin dall'inizio.

La signora Airoldi guarda il pancino della cliente. "Che gioiosa notizia!"

Io ho bisogno di una manciata di secondi per fare appello alla mia forza interiore e trasformare la mestizia in un sorriso partecipe.

"Sì, arriverà in ottobre," confessa candidamente Hanna, con tutta la tenerezza di una giovane mamma. "Mia nonna diceva sempre che non esiste nube che non si dilegui per lasciar spazio al sole. È solo questione di tempo." E mi porge la carta di credito, immagino consapevole e ben contenta di avermi incenerita.

"Ti ha detto proprio così?" trasecola Arabella, al telefono. L'ho chiamata durante la pausa per il pranzo, che in genere la signora Airoldi consuma in laboratorio su piatti di porcellana decorata con piccoli fiori, mentre io, fedelissima alla mia passione per i carboidrati – ripresa con rinnovato vigore dopo i primi giorni di lutto post-licenziamento –, pranzo fissa da Vanni. "Che stronza."

"Tecnicamente la stronza sarei io."

"Ma no, tu sei solo una vittima di quell'essere immondo. Bisognerebbe far squadra contro questi uomini fedifraghi, e non farsi i dispetti l'un l'altra." Sì, vorrei proprio vederla, Arabella, che fa squadra con una di quelle sciacquette cui l'Orrido Cognato ha dato una ripassata. Quanto siamo brave a parlare, quando crediamo che le cose non ci riguardino. "Mi sembri molto turbata," aggiunge mia sorella, dolcemente. "Perché non vieni a cena da noi, stasera? Le bimbe chiedono di te. A scuola Maria dice a tutti che adesso la zia prepara abiti magici per bambini, è molto orgogliosa."

"Almeno lei!"

"In effetti, quegli abiti sono spettacolari. Non è che riesci a procurarmi uno scamiciato per Valeria, che abbiamo un battesimo sabato e non so cosa metterle?"

Così, per la cena in orario pediatrico che si consuma a casa di mia sorella ho portato una bavarese alla vaniglia Bourbon del Madagascar scovata in una pasticceria accanto al negozio e una busta piena di abiti nuovi per le Nipoti.

Arabella ha preparato delle abominevoli lasagne farcite di formaggio e verdura, ma le bimbe spazzolano il piatto tutte contente. Poi dieci minuti di dvd Disney a loro scelta – che stasera ricade su *Ribelle (The Brave)* – e filano a letto come due educande.

L'Orrido Cognato ha il monopolio delle chiacchiere, ma alle nove si sintonizza su un'amichevole dell'Italia e chiude presto ogni comunicazione. Arabella e io sparecchiamo rapide e poi ci rifugiamo nel terrazzino cui si accede dalla cucina. Talmente piccolo che ci stanno a stento solo due sdraio e un tavolino, ma in grado di concedere un prezioso ristoro dal caldo.

Mangiamo la bavarese annaffiandola con un vino liquoroso che mia sorella ha trafugato dalla cantina dell'Orrido Cognato. I miei nervi sono finalmente distesi, il fresco mi ritempra e la bavarese cura le mie ferite. Mia sorella aveva ragione. Dopo una giornata di merda, solo le coccole di una persona cara ti possono salvare. Guardo Arabella, mentre si impegna per regalarmi momenti di serenità parlandomi di piccole cose prive d'importanza, e penso che Hanna e Carlo sono già relegati nel passato.

Alle dieci sono già in strada. Mia sorella voleva chiamarmi un taxi, ma preferisco arrivare a piedi fino alla metro, e si rivela un'idea azzeccata perché mi imbatto in un gruppo di Hare Krishna con le loro tuniche arancioni, i codini sulla pelata, i sitar e tutto il resto. È impossibile non guardarli senza provare un pizzico d'invidia per il loro senso di libertà. Uno di loro mi afferra la mano e mi invita a ballare e mi dico *Ma perché no?* E così arrivo alla metro danzando con loro, stringendo le loro mani, ridendo e cantando *Hare Rama* con un senso di allegria incontenibile. Come se, dopotutto, non andasse poi tanto male e fossi piena di valide ragioni per essere felice.

Il vino dell'Orrido Cognato ha avuto certamente un ruolo in tutto ciò.

12.

La tenace stagista nei ricordi di Tameyoshi Tessai

Oggi piove e la clientela scarseggia. Io e la signora Vittoria ne approfittiamo per cucire i nuovi modelli: lei ama proporre una collezione stagionale fissa e poi dei capi mensili limited edition – poi fa quella che odia il marketing, ma una trovata del genere sul web spaccherebbe.

Sento il mio cellulare squillare mentre sto attaccando un bottone.

"Vada pure, cara," mi esorta la signora Airoldi, continuando il suo lavoro di rifinitura, mentre mi allontano per rispondere a Tameyoshi Tessai.

"Come se la passa, signorina De Tessent?"

"Non troppo male. Anzi, sorprendentemente bene. Lei?"

"Le va di pranzare insieme, oggi?"

"Ma piove."

"Come i gasteropodi, sono attratto dall'umidità."

"Può raggiungere la zona Prati?"

"Certamente. Le concedo l'onore di scegliere dove pranzare."

Gli do appuntamento in un locale gradevole qui in zona e un'ora dopo, con un ombrello ricevuto in prestito dalla signora Vittoria, lo trovo seduto al tavolo che mi aspetta studiando il menu.

"Sono lieto di rivederla. La trovo bene."

"Anche lei sta bene." Sto mentendo: in realtà ha un colorito un po' itterico, ma forse è dovuto allo spaventoso completo beige che indossa.

"Ero molto triste dopo la nostra ultima conversazione, quel giorno in cui lei perse il lavoro. Ho pensato molto spesso a lei."

"Le sono grata."

"Ha poi trovato un lavoro più adatto?" Il suo tono è molto amabile.

"Be', non saprei dire se è più adatto. Ho trovato un lavoro, molto diverso. Non mi occupo più di produzioni al momento."

Tessai corruga la fronte. "E di cosa si occupa?"

"Lavoro in un negozio di abiti artigianali per bambini. Qui vicino."

"Non riesco a immaginarmela!"

"È una lunga storia, signor Tessai. Ma mi creda, va bene così. Per adesso, se non altro. E lei, sta scrivendo?"

Alludo al fatto che, dall'uscita di *Tenebre di bellezza*, Tessai non ha più pubblicato altro. C'è chi dice che attraversi una fase di vuoto creativo, c'è chi lo dà per finito, c'è chi lo aspetta, c'è chi non lo aspetta più. Io sospetto che c'entri anche la dipartita del buon Sinibaldi, che probabilmente sapeva come prenderlo ed era capace di guidarlo. Tessai vive infatti in una perenne anarchia emotiva molto violenta – che peraltro è la chiave della grandezza dei suoi libri –, ma ho la sensazione che gli risulti troppo difficile conciliarla con qualunque altro aspetto della propria vita, inclusa la disciplina necessaria a lavorare. Perché immagino che scrivere sia a tutti gli effetti un lavoro.

"Scarabocchio una storia. Probabilmente è quella giusta. Ha scelto cosa prendere? Io desidero fiori di zucca tutto l'anno, e ora che sono di stagione non ne mangio mai abbastanza."

"E io la seguo." Del cibo non m'importa, m'interessa solo

godere della sua stramba compagnia, che mi ricorda i fasti di una vita che oggi sembra non appartenermi più.

Pranziamo rapidamente, lui paga il conto e siamo fuori dopo non più di venti minuti.

"Vorrebbe passeggiare? E non mi dica che quattro gocce la impressionano."

"No, certo che no. Passeggiamo."

Sfodero l'ombrello mezzo rotto, ma lui lo rifiuta. "Sono come quel personaggio di un film di Woody Allen, che amava camminare sotto la pioggia. Riparandomi, mi sembra di perdere l'energia degli elementi che è sempre un dono, se ne ricordi."

Sono un po' infreddolita. Non mi aspettavo la pioggia e indosso un abito fin troppo estivo. Ma anche di questo non m'importa. Cerco di tenere il suo passo, mentre in una miriade di pensieri un po' sparsi, un po' confusi, Tessai mi parla nella maniera astratta che gli è propria di quanto negli ultimi tempi si senta assalito dai rimpianti, e dalla stanchezza.

"Forse, per scacciare i cattivi pensieri, dovrei dar loro vita nel nuovo libro, e liberarmene."

"Funziona? È lei il romanziere. Io sono una ragazza pragmatica e neanche troppo poetica. I cattivi pensieri li scaccio con i biscotti."

Tessai blocca l'andatura. Si rifugia sotto il mio ombrello e mi fissa negli occhi.

"Lei, Emma, è la stessa ragazza che quindici anni fa considerava i ricordi come gli unici luoghi in cui poter vivere felice."

A quelle parole, sento gli occhi riempirsi di lacrime.

In tutti questi mesi, Tessai non aveva mai fatto alcun riferimento a quel momento, e quindi ero certa che lo avesse dimenticato, che, alla fin fine, non gli avesse dato importanza.

"Allora... lei si ricorda di me," mormoro, sentendomi tremare, come se avessi coperto il mio viso con una maschera e lui me l'avesse tolta all'improvviso.

"Io non ho mai dimenticato."

Un ricordo sbiadito dal tempo

Quindici anni fa mio padre si ammalò. Avevamo saputo dai medici che era solo questione di tempo e ci avrebbe lasciate. E così in effetti accadde, in un giorno freddissimo, senza salutarci, senza poterci dire niente da serbare nel cuore. Ha detto che voleva riposare e non si è più svegliato. Così, dolcemente.

Il vuoto dei giorni senza di lui era greve. Io, Arabella e la mamma ci coricavamo insieme in quello che era stato il loro letto, ci lasciavamo vivere cercando di trovare l'una nell'altra la forza di sopportare la sua perdita.

Un giorno lessi sul quotidiano di una presentazione del nuovo libro di Tameyoshi Tessai, che era l'autore preferito di papà. I libri li avevo letti anch'io, ma adesso mi erano più cari perché in qualche modo, oltre il tempo e la distanza, erano un legame con ciò che lui aveva amato.

E così andai alla presentazione. Ascoltai con attenzione ogni parola, comprai una copia del nuovo libro, mi misi in fila e attesi il mio turno. Di fronte a lui, sentivo le gambe tremare.

"A chi lo dedico?"

Tessai mi fissava con impazienza, non ero che una lettrice cui sorridere con gentilezza e firmare la copia con il solo scopo di passare alla successiva, sbrigarsi, e tornare alla propria vita.

"Lei era l'autore preferito di mio padre. Aveva letto tutti i suoi libri e io li ho conosciuti tramite lui. Ma lui oggi non c'è più."

Tessai sollevò gli occhi oblunghi, che si fecero liquidi. Mi studiò, come fossi un qualcosa di raro, o anomalo. E io recitai una frase tratta dal suo romanzo d'esordio che mio padre amava tanto.

"Mi dispiace," disse lui, semplicemente. "Coraggio," aggiunse, e mi strinse la mano. "Come si chiamava?"

"Julian."

Tessai aprì il volume, arrivò alla terza pagina, sotto il titolo e il suo nome, e volle dedicarlo a lui, senza che io l'avessi chiesto. Quel gesto mi colpì, per un attimo mi sembrò che mio padre avrebbe potuto davvero riceverlo ed esserne contento.

Non sapeva cos'altro dire e, da parte mia, dopotutto non desideravo altro. O meglio, avrei voluto solo tornare a casa e dare il libro a mio padre dicendogli che era un regalo per lui. Ma non potevo, sicché...

E poi dissi quella cosa sui ricordi, che lui ha dimostrato di non aver dimenticato. E mai, in tutto questo tempo, gli ho ricordato quel momento. Perché era un piccolo segreto addormentatosi nel mio cuore, non volevo destarlo. Per farne quale uso, poi?

"Non pianga, Emma. È passato," mi dice con gentilezza.

"No, signor Tessai. Non passa mai."

"Non avrei dovuto far riaffiorare un ricordo triste."

"Be'... io sono contenta che lei non abbia dimenticato."

"Suo padre, in realtà, lo conoscevo."

"Ah sì?"

Tessai china il capo, quasi con ossequio. "Certamente. Lui era in rapporti molto stretti con Giorgio Sinibaldi. Forse, Emma, lei non lo sa, anzi certamente le sfuggono tante cose, ma Julian aveva affidato a Giorgio la sua famiglia. E lui non è mai venuto meno al suo impegno, mai."

Lo guardo perplessa. Sinibaldi era una persona molto

gentile e discreta. Frequentava casa nostra con una visita di cortesia mensile, ma aveva l'accortezza di non fermarsi per cena. Però c'era sempre, è vero. Quando Arabella ebbe un attacco di appendicite l'ultimo anno di liceo, e la operarono d'urgenza, fu lui ad accompagnarla al pronto soccorso. E so che ha sempre aiutato mia madre con tutte le beghe relative alla (magra) eredità di papà e ai suoi debiti. Però, ecco, non ho mai avvertito in lui una presenza continua. Forse io no, ma mia madre sì.

E forse Tessai ha ragione. Probabilmente, ci sono tante cose che non so.

13.

La tenace stagista si reinventa dog-sitter

Da qualche giorno i miei compiti presso la signora Airoldi includono anche di occuparmi delle deiezioni di Osvaldo.

Non che lei me lo abbia chiesto. Sono stata io a offrirmi, vedendo come la mia arzilla capa si affaticava sempre più. Osvaldo è un cane molto distinto, ma se c'è nei paraggi una cagnetta in calore o se sente odore di melanzane fritte, abolisce qualunque differenza di rango tra lui e il più ignobile dei meticci, e tenerlo al guinzaglio richiede un vigore che la signora Vittoria non ha più.

"Grazie, Emma. A volte mi chiedo come facevo prima senza di te," ha risposto lei, gratificando enormemente il mio ego poiché riconoscimenti del genere li ho ricevuti da ben poche persone (leggasi: mia madre quando le compro l'acqua di rose che le è finita e Arabella quando le tengo la Nipote Due che è notoriamente impegnativa).

Come ogni giorno, intorno alle quindici scatta l'ora X. Il maestoso quadrupede si manifesta dapprima con una piccola quanto inequivocabile loffa, e subito dopo va a prendere il suo guinzaglio e me lo porta con chiari intenti.

"Va' pure, Emma cara. E dato che ci sei, prenditi un gelato che ti rinfreschi."

Così usciamo per la nostra tonificante passeggiata nel quartiere Prati, di cui sto imparando a conoscere e ad amare anche le strade meno note. Avrà certo dei difetti di cui al momento non mi accorgo, ma è un luogo in cui mi sento in pace con il mondo. Come se prevedessi che mi ricorderà giorni speciali che apparterranno a un passato un po' strano ma molto lieto. Non sarà però la giornata di oggi a far parte di quel passato. Osvaldo inizia a tirare con il guinzaglio e non c'è modo di tranquillizzarlo. Accadrà che per colpa dei ferormoni di una cagnetta del circondario finirò col cadere e rompermi anche l'altro mignolo, con la differenza che stavolta per lavoro mi serve e sarebbe davvero una pessima, pessima cosa.

"Buono, buono, Osvaldo! Che cavolo ti è preso!"

Finalmente, quando ormai sono più sudata di una gestante su un autobus in agosto, si ferma ed è tutto uno scodinzolare gioioso.

Al cospetto di Pietro Scalzi, il Produttore.

Il quale ha il solito charme da tennista testa di serie a Wimbledon, ma è penalizzato dalla faccia un po' inebetita di chi non riesce a mettere insieme i pezzi di un puzzle elementare, di quelli che anche un bambino di tre anni compone in pochi minuti.

"Che ci fa lei con Osvaldo? Fa la dog-sitter, adesso?"

Be', diciamo che avrei gradito un saluto più formale e delicato. Ma ciò che più di tutto mi rende perplessa è come, e soprattutto perché, conosca Osvaldo.

"Cosa ci sarebbe di male nel fare la dog-sitter?"

"Ah, per quanto mi riguarda proprio niente. Un mestiere come un altro, anche piuttosto gradevole. Se lei è contenta così..."

"Ovviamente non faccio la dog-sitter."

"Sono felice per lei. Data la crisi del nostro settore, una virata del genere non mi avrebbe stupito." Termina la frase con uno dei suoi sorrisi più irregolari. "Allora, se non per lavoro, perché diavolo porta a spasso il cane di mia madre?"

Al che penso di non aver perso i sensi come una delle mie eroine regency solo perché, tutto sommato, sono una ragazza che nel suo piccolo ne ha viste tante.

"Vittoria Airoldi è sua madre?" chiedo, ma nemmeno io credo nella coincidenza di un altro levriero afgano di nome Osvaldo che bazzica la zona Prati.

"Proprio lei."

Adesso si spiegano tante cose. Per esempio, che il negozio di Vittoria si trovava prima in tutt'altra zona, ma poi, un paio d'anni fa, dopo una lieve ischemia, suo figlio l'aveva esortata a prendere in affitto una bottega nel quartiere Prati per poter essere più vicini e così lei si era trasferita. Ed ecco perché il negozio è, in effetti, a un passo dalla Waldau. In queste settimane, però, non mi era mai capitato di incontrarlo. È capitato che Vittoria mi dicesse: "Che peccato, mio figlio è appena andato via, sarebbe stato bello presentartelo". Ma a questo punto, è meglio che non sia mai successo.

Il Produttore ha messo le mani sui fianchi, rivelandone il contorno ben definito. "Allora?"

"Be', ecco. Ho trovato lavoro nel suo negozio."

Lui è disorientato. "Sa cucire?"

"Ho imparato," ribatto piena di orgoglio.

"Da quanto tempo lavora lì?"

"Esattamente dal giorno del nostro colloquio. Uscita dal suo ufficio, mi sono imbattuta nel negozio di sua madre."

"E dopo tutto questo tempo, lei non aveva idea che Vittoria Airoldi fosse mia madre?" chiede con un tono che non riesce a camuffare uno scetticismo piuttosto irritante. Non soltanto quest'uomo mi ha trattata come la più miserabile delle raccomandate. Non soltanto ha detto cose alquanto spiacevoli sul nostro incontro alla sua assistente ed è doloroso ascoltare dalla lingua – velenosa – altrui qualcosa di intimo che ci riguarda. Svendendomi come un oggetto di poca importanza, mi ha fatta sentire vulnerabile. E adesso, cosa vuole insinuare? Che lavoro presso sua madre per arrivare a lui e alla prestigiosissima casa di produzione per cui lavora?

"Forse la mia risposta la deluderà, perché sembra evidentemente convinto che il mio mondo ruoti intorno a lei, ma no. Non lo sapevo finché Osvaldo non ha riconosciuto in lei il fratello smarrito."

"Ma perché ho come la sensazione che lei mi stia prendendo in giro?"

"Non ne ho idea. Io non la sto prendendo in giro."

Il Produttore accarezza il manto di Osvaldo, proseguendo con tono compito anche se un po' sfottente: "Mi era giunta voce che lei avesse trovato un'altra posizione, ma ero convinto che fosse nell'ambito di comune interesse".

"E invece... com'è strana la vita! Nell'ambito di comune interesse, come lo chiama lei, e in cui io sono una bomba, non ho trovato niente di niente, perché gente come lei non ha voluto darmi una chance. In compenso, la sua illuminata madre mi ha assunta senza che io sapessi cucire un orlo. E pian piano mi sta insegnando tutto. Con pazienza, con cuore aperto. E sa qual è la cosa più pazzesca? Che a me piace! Piace da morire!"

Ohhh... ora che ho riversato questo fiume di astio mi sento un po' meglio.

"Ha finito?" chiede, spazientito.

"Sì."

"È ingiusta quando dice che non ho voluto darle una chance."

"Me l'ha data?"

"Lei se n'è andata senza ascoltare. Ascoltava solo se stessa. Poi sono partito per Oslo, e mi creda, al mio rientro desideravo richiamarla. Ma ho saputo dalla mia assistente che lei non aveva alcuna intenzione di lavorare per la Waldau, che aveva trovato 'di molto meglio' e che non avrebbe tratto alcun piacere dalla collaborazione con una persona come me. E mi sono limitato a rispettare la sua volontà."

"Io non ho mai detto niente del genere alla sua assistente! Lei piuttosto ha detto..."

"La prego..." mi blocca con aria schifata, come se avesse inavvertitamente spiaccicato uno scarafaggio sotto la suola. "Questo genere di conversazione è meschina e mi sfinisce."

"Crede che invece io mi senta a mio agio?"

"Non mi riguarda. Del resto, la mia illuminata mammina ha visto in lei un potenziale e adesso lei è felice. E come darle torto? Mille volte meglio lavorare in quel paese dei balocchi che nella nostra giungla."

"Già."

C'è davvero un clima gelido, ora, tra noi. Il Produttore mi porge la mano in maniera formale. "Felice di averla incontrata, signorina De Tessent. Tratti bene Osvaldo."

Non sono rientrata subito in negozio perché sentivo la necessità di lasciar sbollire la rabbia. E sarebbe stato difficilissimo fornire spiegazioni equilibrate alla signora Vittoria, nel caso in cui mi avesse chiesto la ragione del colorito oscillante tra il pallido (se in quel momento prevaleva l'imbarazzo) e il paonazzo (se invece prevaleva la rabbia).

La rabbia ha un'unica destinataria: la Stronza Boccolosa che ha piantato il seme della maldicenza nel cuore del Produttore. Cosa passa per la testa di certa gente? Cosa la induce a trasformare parole innocue in spine appuntite?

Il sole picchia, il caldo si fa opprimente, ormai sono quasi le quattro e devo tornare al negozio prima che la signora Vittoria si allarmi.

In realtà, si era già preoccupata.

"Stavo per chiamarti, sei mancata tanto!"

Che fare? Dirle dell'incontro che ha per protagonista il suo baldo figliolo?

"Sa, signora Vittoria... Osvaldo ha riconosciuto suo figlio... e così ci siamo messi a chiacchierare."

Gli occhi le si illuminano di gioia. "Ma pensa! Che felice coincidenza! In effetti, era già parecchio strano che non vi foste conosciuti prima. Lui lavora a due passi da qui e viene spesso a trovarmi."

"Signora Vittoria, credo di non averle mai raccontato che anch'io, come suo figlio, lavoravo nell'ambiente delle produzioni cinematografiche. È lì che l'ho conosciuto. Un caso," spiego in maniera molto asciutta, augurandomi che non le venga voglia di indagare oltre.

"Già, il caso..." commenta un po' titubante. "E ora che hai preso un po' d'aria, torniamo al nostro lavoro. Abbiamo un grosso ordine da una vecchia cliente che si è trasferita a Milano e che ha ben otto nipoti. Non c'è tempo da perdere!"

Così torno al cucito, ed è una salvezza, perché mi conduce a uno stato interiore sgombro da brutti pensieri.

E dopotutto, non ho bisogno di nient'altro.

14.

La tenace stagista e il segreto intrappolato fra le maglie del tempo

Ho sempre odiato la domenica. Tutte le zitelle la odiano. Cosa cavolo si può fare di domenica pomeriggio, d'estate, poi? Specie se si odia la spiaggia – in tutta la mia vita ci sono andata solo ai tempi dell'aggregazione liceale.

Mia madre è uscita con le solite amiche. Io ho deciso di mettere ordine nell'armadio dello sgabuzzino, un lavoro rognoso che non si ha mai il tempo di fare, ma necessario se non vogliamo finire sepolte da carte inutili e abiti ormai fuori moda.

E infatti tiro fuori vestiti che non vorrebbero nemmeno alla Caritas e che meritano di finire piuttosto a produrre energia in qualche inceneritore. Poi è il turno degli scatoloni. Vecchi diari – sono proprio sicura di voler conservare la Smemoranda del '99? Scontrini, biglietti di concerti, menu di ristoranti, tutti conservati perché in quel momento credevo che avrei voluto ricordare quel giorno per sempre mentre adesso non significano più nulla. Via, tutto via, tutta questa carta potrà diventare qualcosa di più utile al mondo.

Bevendo vino bianco e ascoltando *Dancing Barefoot* di Patti Smith, i sacchi neri si accumulano uno dopo l'altro e l'armadio ricomincia a respirare. C'è un ultimo scatolone, che fatico a tirare giù perché è sul ripiano più alto ed è molto pesante.

Appartiene a mia madre. Dovrebbe vedersela lei, quindi: è tutta roba sua, io non ho il diritto di rovistare nel suo passato. Ma non resisto agli album con vecchie foto in cui c'è papà, Arabella e io siamo piccole, cartoline da un passato svanito troppo presto. Di tanto in tanto tornarci riscalda il cuore.

Sommersa dalle foto della famiglia che siamo stati, la custodia di un gioiello, foderata da una seta blu Cina. Contiene degli orecchini, straordinariamente belli e preziosi.

Sono attonita. Perché mia madre li conserva qui, non li usa e non li tiene al sicuro? Perché non li ho mai visti prima?

E poi un biglietto, su carta pregiata ormai ingiallita. La scrittura è la sua, quella di mia madre. Non reca data.

Ho ricevuto oggi gli orecchini. Sono splendidi. Non potrei mai disfarmene e non posso accettarli. Sono un dono troppo grande e un risarcimento che non voglio.

Marina

Vivevo nel pieno di un mistero. Sono sbalordita. Non dovremmo mai apprendere i segreti delle persone a noi più care, ci lasciano dentro un senso di smarrimento senza però gli strumenti per poterlo combattere.

Da quando Tameyoshi Tessai ha alluso alla silenziosa eppure indispensabile presenza di Giorgio Sinibaldi nelle nostre vite, ho imboccato la strada di una costruzione di fantasie del tutto nuove nei confronti del passato di mia madre. E trovare questi orecchini, con questo biglietto, non fa che alimentare una curiosità insopprimibile e pretenziosa, perché dopotutto mia madre non è obbligata a parlarmi della sua storia, laddove questa non riguardi me. Eppure, ho la sensazione che ci sia stato un momento cruciale in cui non sapeva quale soluzione trovare a un grande problema. Un momento di cui Arabella e io non ci siamo accorte.

Non so se all'epoca papà ci fosse ancora, oppure no.

Ma la mia certezza è che in quel momento cruciale Giorgio Sinibaldi sia entrato nella sua vita e che questo, in qualche modo, abbia per sempre cambiato molte cose.

"Emma, ci sei?" Eccola, è appena rientrata. Rimetto a posto i preziosi reperti e salgo sulla scala per riporre lo scatolone dove l'ho trovato. Entra nello sgabuzzino quando ho appena chiuso l'anta dell'armadio. "Tesoro, hai fatto un gran lavoro!" dice dando un'occhiata ai sacchi neri.

"C'era uno scatolone tuo."

"Ah, ok," ribatte, con fare distratto. Farfuglia qualcosa sulla cena, un'aria un po' fatua che sembra celare una certa confusione.

"No, io non ceno. Ho mangiato anacardi e bevuto vino bianco per tutto il pomeriggio."

"Che orrore!" commenta mia madre, che sull'alimentazione è sempre molto scrupolosa. "Be', io... sono di là."

"Sto pensando di uscire per prendere un po' d'aria fresca, dopo aver passato tutto il pomeriggio tra la polvere e la naftalina."

Lei annuisce con una carezza gentile sulla spalla. Ho il sospetto che, non appena avrò chiuso il portoncino di casa, salirà anche lei sulla precaria scaletta e recupererà lo scatolone. E guarderà quegli orecchini, perdendosi in pensieri che non conoscerò mai.

In altri tempi sarei andata in via Oriani, ma in questi mesi mi sono sempre fatta tassativo divieto anche solo di avvicinarmi alla zona, riuscendo fino a oggi a resistere alla tentazione di tornare sui miei passi.

È un po' come quando mi vedevo con Carlo e ogni volta mi prendevo in giro raccontandomi che sarebbe stata l'ultima. Finché poi l'ultima è arrivata davvero, ma non per mia scelta. Dunque ho dimostrato di non essere in grado di tener fede alla parola data a me stessa e lo dimostro oggi come allora.

Dopotutto, il villino dev'essere ancora un cantiere, necessitava di una massiccia ristrutturazione. Con un po' di fortuna il cancello sarà ancora difettoso e nessuno se ne accorgerà. Alla peggio, vedrò la casa e la mia panca da fuori, ancorata alle inferriate arrugginite, come una bimba alla vetrina di un giocattolaio.

Chiuderò gli occhi, sognerò un po'. Infine, cercherò un glicine e lo porterò via con me.

Sotto un cielo screziato di violetto, in prossimità dell'imbrunire, il villino è anche più bello di quanto lo ricordassi. L'esterno è già stato riverniciato di un caldo color sabbia – la mia fissazione per le tonalità dei colori, dopo due mesi in compagnia della signora Vittoria, è nettamente peggiorata. Il cancello continua a essere difettoso e, per stasera, posso abbracciare con pienezza l'illusione che niente sia cambiato. Dopo pochi passi sulla ghiaia, incappo in un volantino.

Lasciatevi sedurre dal lusso e non potrete più farne a meno.
Piatti creativi serviti in un'incantevole cornice liberty.
Il Villino dei Glicini.
Opening soon.

Quei due mostri! Stanno trasformando il mio villino in un ristorante!

Sacrilegio!

Ero disposta ad accettare che diventasse un nido d'amore, ma non un promiscuo porto per avventori di ogni tipo.

Poi mi dico che il risvolto positivo esiste: diventando un

ristorante, potrò venirci ogni volta che vorrò. Basterà pagare. Ma così sarà di tutti e questo è terribile.

Sento vibrare il cellulare nella tasca del vestito. È Arabella, con un tono di voce colmo di apprensione.

Meno di venti minuti dopo, sono già a casa sua.

15.

La tenace stagista e il disperato bisogno di sentire

C'è silenzio, perché le bimbe sono già andate a dormire. L'Orrido Cognato è via per un convegno in Olanda. Gli occhi di Arabella sono gonfi e pesti.

Mia sorella indossa una camicia da notte bianca di batista e, come le dicono tutti – e lei ne è sempre felice –, sembra la sorella di Kirsten Dunst.

E invece è mia sorella, e io con la suddetta star hollywoodiana non ho nulla a che vedere. Arabella ha una corporatura morbida, dolcemente voluttuosa; il mio fisico è invece segaligno, specie laddove il maschio italico usualmente gradisce la polpa. Arabella ha capelli biondi come il grano maturo – licenza Harmony – e un sorriso da peperino, mentre i miei capelli sono del color del manto del più anonimo tra i ratti, che se non faccio le *mèches* dimostro almeno dieci anni di più. E poi, il colore dei suoi occhi. La signora Vittoria potrebbe sbizzarrirsi e trovare mille declinazioni per quelle sfumature dell'indaco. Per i miei, ne basta una: ceruleo sciapo. In altri termini, i nostri genitori hanno espresso due fenotipi che più diversi non potrebbero essere.

E anche adesso, in un momento di viscerale tristezza, Arabella brilla di una bellezza insopprimibile. Mi stringe in un abbraccio dei suoi, di quelli con cui si aggrappa perché altrimenti potrebbe crollare. Al che già immagino la scoperta di un meschino intrallazzo tra l'Orrido Cognato e una qualunque neolaureata under twenty-five.

"Mi vergogno... Mi vergogno così tanto!"

"In realtà dovrebbe vergognarsi lui," faccio presente, dando per scontata la natura della crisi.

"Lui? Perché lui? Lui chi?" Arabella è totalmente disorientata.

"Lui... tuo marito!" ribatto in un attacco di insofferenza.

Un'espressione di panico si dipinge sul bel volto di mia sorella. "Che c'entra lui?" ribatte, piena di dolore.

"E allora, qual è il problema?"

"Un altro lui," afferma, l'imbarazzo di una pudibonda novizia.

Da quando si è affacciata nel vertiginoso mondo dei rapporti con l'altro sesso, mia sorella è sempre stata un modello di moralità, virtù e fedeltà. Il suo attuale sconcerto non può che ammantare l'esperienza dell'adulterio di cui lei parrebbe essere, una volta tanto, parte attiva.

"Vuoi essere un po' più chiara senza centellinare le parole?"

"Mi sono presa una colossale sbandata per un collega dell'ambasciata."

"Oddio," è l'unica cosa che riesco a dire. Ecco il perché del dimagrimento degli ultimi tempi, che lei si ostinava ad attribuire alla gastrite.

"Erano anni che non mi sentivo così," aggiunge, per tentare di meglio definire il quadro. "Lui è talmente... pericoloso."

"Non sarà un espatriato?"

Da un anno mia sorella ha trovato lavoro come interprete presso l'ambasciata della Mauritania. Almeno lei può esser fiera di aver studiato Lingue. Io, che ai miei tempi ho anche ricevuto un premio in denaro per una tesi su Octave Uzanne, come ormai è noto ho fatto la fine che ho fatto.

"No, scema... È pericoloso nel suo modo di essere. È il visconte di Valmont in persona. Assomiglia anche un po' a John Malkovich negli anni ottanta."

"Grazie per la precisazione, somigliasse a John Malkovich oggi non avresti fatto un gran bell'affare. E tu saresti Michelle Pfeiffer, devo desumere?"

"Emma, io sono disperata e tu non mi stai aiutando."

"A che punto della sbandata sei? Hai varcato la soglia del contatto carnale?"

"Ampiamente."

"E allora cosa posso dirti io? Ti devo ricordare che hai due figlie? Vuoi sentirti dire che devi licenziarti subito per non vederlo mai più e rimetterti sulla buona strada? Tu non vuoi sentirti dire questo, perché sono sicura che lo sai già e non fai che ripetertelo."

"Voglio solo che mi ascolti e che mi dici che tutto passerà, e che presto mi sentirò meglio. E io voglio crederti. A volte penso di aver vissuto per anni in una dieta perenne. Mi privo di qualunque cosa! Del cibo, per cercare di dimagrire, che dopo la nascita delle bambine sono rimasta grassa come un'otaria. Delle spese superflue, perché per pagare il mutuo di questa casa ci stiamo svenando, per non parlare del fatto che tutti i soldi che guadagniamo finiscono per le bambine e tutto ciò di cui crediamo abbiano bisogno. Prima di comprare anche solo un paio di scarpe che davvero mi serve, devo pensarci due volte e far di conto se prima non servono a loro. Emozioni, perché ho un marito che quasi mi ignora e mi tocca una volta ogni due mesi. E quella volta, detto francamente, non è niente di che e meglio sarebbe se lui se ne stesse sulle sue e si sfogasse altrove. Come peraltro fa, ma evidentemente non a sufficienza." Si interrompe, cercando di calmarsi, mentre io la ascolto attentamente.

"Quest'uomo mi ha risarcita di tutte queste privazioni. E io avevo bisogno di *sentire*, un disperato bisogno di *sentire*," conclude scandendo le parole in un modo che mi addolora perché vi percepisco un'amarezza e un senso di rinuncia che mai si desidererebbero per le persone cui si vuol bene.

"Sì, ma ti senti anche parecchio male. Guardati," le dico, duramente.

"Tu mi giudichi! Proprio tu!"

"Oh, no! Non ti sto giudicando, come potrei? Da quanto va avanti?"

"Da un paio di settimane. Io stessa mi sono meravigliata della rapidità con cui ho ceduto." Il suo grado di afflizione è commovente.

"Arabella, la mia sensazione è che tu avessi solo bisogno di essere sbattuta, molto selvaggiamente, da un uomo sapiente in faccende di letto. Adesso che hai *sentito*, perdonati questo errore, chiudi, e riprendi la tua vita," le dico col tono confortante di un parroco di campagna che ne ha ascoltate di ben peggiori.

"Non ci riesco. Ogni giorno mi sveglio piena di buoni propositi, ma poi ci ricado."

"Capisco. Ma tu devi essere forte. Vuoi chiudere, vero?"

"Certo! Michele non sarà un marito perfetto, ma è il compagno che ho scelto. Io non lo lascerei mai, quindi è ovvio che è una relazione che non ha alcun senso."

Non saprei dire quanto mia sorella creda a ciò che ha appena detto. Certo è che il suo tono non appare del tutto fermo.

"Bene. Allora basta lacrime. Solo determinazione."

"Parli tu, che hai detto che avresti chiuso con Carlo la prima volta, e da quel giorno sono trascorsi quattro anni."

"Proprio per questo, so," concludo con strabiliante pazienza. "So che qualunque condizione che ci levi la libertà di vivere alla luce del sole può portare solo infelicità. Ne hai ancora di quel vino liquoroso dell'altra sera? Mi sa che ci serve."

Blu lago d'inverno. Blu di Persia. Blu lobelia. Blu eau de Nil.

Persa tra tutti i possibili blu pensati dal Creatore, la signora Vittoria è alla ricerca della sfumatura adatta per i golfini di angora che dovrà realizzare per la collezione invernale. E nessuna tinta la convince.

"Questo?" chiedo indicando una tinta tra i molteplici campioni che ha portato in negozio. Lei non utilizza cataloghi, né tinture standard. Lei individua *nuances* uniche e poi le fa riprodurre da un laboratorio di Amburgo, che si occupa anche di tingere le partite di lana che compra da una fabbrica di Avoca, in Irlanda. Procedimento laborioso e molto dispendioso. Ma le sue clienti sono madri "so cool" e soprattutto piene di soldi da spendere, che non aspettano altro.

"È blu di guava cilena. Già fatto tre anni fa."

"Peccato. Questo, guardi questo. È da sogno!"

"Questo, mia piccola Emma, è *Azuré de la Brugane*. Ovvero, blu argo azzurro, che è un piccolo lepidottero iridescente. Straordinario, è vero. Mi chiedo se sia adatto alla lana. E direi che è per bambina, non per bambino. Però è un'idea buona, molto nuova. Brava Emma. Oh, ecco Pietro!"

Vittoria abbandona i suoi blu e si dirige verso la porta appena varcata dal figlio, scodinzolando non meno del cane Osvaldo.

"Signorina De Tessent," pronuncia lui con una solennità che odora di beffa.

"Dottor Scalzi."

"Pietro è venuto a prendermi. Sai, per via di quella storta che ho preso alla caviglia..."

"Certo, capisco." Guardo l'ora. Disquisendo sulle infinite varietà di blu è presto giunta la fine del pomeriggio.

"Perdonatemi solo un momento," aggiunge la signora Vittoria, e mi accorgo adesso che, in presenza del figlio, la sua zoppia si è leggermente accentuata.

Con una barba solo apparentemente trasandata, Scalzi ha l'aria di un valoroso guerriero del grande Nord. Non che io ami particolarmente quel tipo di location per i miei Harmony – che in genere si accompagna a un setting medievale che mi mette ansia, preferendo di gran lunga le rassicuranti tenute di campagna in cui i gentiluomini belli come Richard Armitage vanno in giro con il cappello a cilindro rigorosamente di pelo di castoro –, ma qualcuno per le mani mi è passato e il ricordo è rimasto nitido. Nella veste odierna, al Produttore mancano solo gli stivali da guadatore di lande oscure e alla cintola uno spadone forgiato col più resistente acciaio del Regno. Cosa che peraltro non è escluso gli manchi, a ben pensarci. *Suvvia, Emma, certi pensieri lascivi...*

Scalzi sfiora le immagini e scruta pensosamente la nostra gamma di blu. Poi solleva lo sguardo e mi fissa con un'espressione sarcastica.

"Mia madre ci trova mille differenze. Io nessuna. Lei?"

"Qualcuna."

"Diplomatica."

"Sono le sfumature che fanno la differenza. Non le pare?"

"Credo maggiormente nell'efficacia delle posizioni nette, non in quelle sfumate," ribatte con malcelata fierezza, come se fosse un'affermazione che ha un suo senso in mille frasi e non solo in quella che ha appena pronunciato.

"Lei è una persona troppo seria. Per una volta, quando si tratta di abitini per bambini, può concedersi qualche sfumatura."

Il suo broncio da halibut svela il sorriso pieno di denti, caloroso e seducente in maniera profonda, conturbante, che tocca l'anima.

"Quanto è strana, lei, qui."

"Tanto?"

"Tanto."

"Eccomi." La signora Vittoria è tornata tra noi e ha preso sottobraccio il figliolo.

"Va' tranquilla, Emma. Oggi chiudiamo un po' prima, andiamo a cena sull'Aventino. Ma adesso che ci penso, vuoi venire con noi?"

"Grazie, ma non posso." Il Cognato è ancora in Olanda e ho promesso ad Arabella che avrei tenuto le Nipoti cosicché lei potesse vedere il visconte di Valmont e darci un taglio. O perlomeno provarci.

"Signorina De Tessent, io ne sarei felice," aggiunge il Produttore, in maniera oserei dire fine.

"Io vorrei, davvero... ma devo dare una mano a mia sorella con le sue bimbe, stasera."

"Emma è una zia modello," spiega Vittoria, con gentilezza, prendendo il guinzaglio di Osvaldo. "Un'altra volta, d'accordo?"

E non appena abbiamo varcato insieme la porta del negozio ma poi ognuno ha imboccato la propria direzione, mi piomba addosso una coltre di tristezza, perché ci sarei andata, ci sarei andata eccome, e sono sicura che sarebbe stato bellissimo passare la serata parlando un po' anche di quello che facevo un tempo, come se quel passato non fosse scomparso e potesse persino tornare.

Non saprò mai come sarebbe stato uscire a cena con lui, cosa avrei provato. Probabilmente avrei *sentito*, come direbbe Arabella. Ed è così che mi accorgo di come, e soprattutto quanto, quel disperato bisogno di cui lei parlava lo conosco bene, troppo bene, anch'io.

16.

La tenace stagista e il richiamo all'ovile

"Emma, non vorrei essere indiscreta, ma è tutta la mattina che il tuo telefono suona e tu non rispondi," osserva la signora Vittoria, senza sollevare lo sguardo dal merletto che sta apponendo su un abitino realizzato per la figlioletta di una ex letterina o paperina o velina che ha sposato un imprenditore. L'abito è color giallo *chartreuse*, perché la bimba in questione ha una magnifica pelle caffellatte che sembra fatta di burro e queste tonalità le stanno d'incanto.

"L'ha disturbata? Mi perdoni."

"No, figurati. Nessun disturbo. Solo mi sembrava strano, ecco."

"Non è una chiamata importante."

"Ah, capisco. Non sai che delizia ieri sera il tempo sull'Aventino."

"Posso immaginare."

"Abbiamo concluso la serata con una passeggiata al giardino degli Aranci. Mi sono sentita vent'anni di meno."

"È stato molto premuroso, suo figlio. Ha soltanto lui?"

"Sì," ribatte. Sospira rumorosamente, poi mette da parte ago, rocchetto di filo e abitino, e si toglie gli occhialini da presbite. "Vuoi conoscere la nostra storia?"

"Certo!" esclamo, fin troppo curiosa. Il telefono squilla

di nuovo, do un'occhiata al display, ma non risponderò neanche stavolta.

Le circostanze della nascita del Produttore

In definitiva, una storia come tante, ma siccome l'aveva vissuta sulla sua pelle, la signora Vittoria la ricordava e la raccontava come una vicenda eccezionale.

Nei primi anni settanta, la giovane Vittoria si era affacciata nel mondo della moda come mannequin. Era esile e un po' androgina, amava David Bowie, la vita notturna e il mondo del cinema. Viveva in una piccola stanza in affitto, mangiava quel tanto che bastava a tenersi in piedi, soldi ne vedeva pochi ma si sentiva padrona della sua vita, emancipata, ed era ciò a saziarla più di ogni cosa.

Frequentava gli atelier, gli stilisti la trattavano con riguardo, qualcuno provava a saggiare altre qualità oltre a quelle più evidenti, ma lei non aveva occhi che per un uomo, uno solo. Ludovico Scalzi. Trentacinque anni, milanese, era un intellettuale raffinato che scriveva per il cinema cose di discreto pregio. Ovviamente era già coniugato, il che deprimeva la signora Vittoria oltre ogni dire, ma non le impediva di vivere quella che sarebbe stata la fatale storia d'amore della sua vita, quel tipo di bivio imboccato il quale non si torna più indietro perché il cambiamento è radicale. È la filigrana della pelle che marca la linea della vita sul palmo della mano. Semplicemente, il destino.

Così Vittoria si abbandonò all'amore come lo si può vivere solo per la prima volta, perché poi si perde l'innocenza e non è mai più uguale, tanto ebbra di passione che, dopo un anno di quella vita e tre mesi senza ciclo, scoprì di essere in dolce attesa di colui che avrebbe un giorno gloriosamente guidato la Waldau verso i porti del trionfo.

Ludovico Scalzi, che di figli a casa ne aveva già tre, non accolse la notizia schiamazzando di gioia, bensì rampognò la giovane amante che, tutta contenta, si vedeva già alle prese con il tenero frugoletto.

Ma la legge 194/78 era ancora di là da venire, e del resto non era una strada che Vittoria avrebbe ritenuto percorribile. Così Scalzi dovette accettare l'arrivo dell'illegittimo quartogenito, che – se ne faceva un punto d'onore – avrebbe riconosciuto giurando che, nei limiti del possibile, avrebbe fatto di tutto per aiutare Vittoria.

E però interruppe ogni dialogo di altra natura, quasi volesse all'improvviso porre il piano dei loro rapporti in una dimensione di neutralità. Vittoria nutrì il neonato con latte e lacrime, finché un giorno non si disse che doveva smetterla e ricominciare a vivere.

"Ma tu sai, Emma cara, che creature stizzose e permalose sono le mogli. Lo sai bene, mi è parso di capire." E qui l'allusione a Hanna si fa rumorosa, direi. "La moglie di Scalzi non faceva eccezione e chissà quale risarcimento si aspettava di provare prendendosi queste piccole vendette. Hai notato che quando cerchiamo vendetta pensiamo che possa portarci calore e linfa nuova? E invece scopriamo che è banalmente tiepida, che non sa di nulla, che svuota, non riempie?"

"E dunque, cosa fece?"

"E dunque, approfittando di una rete di conoscenze che la spalleggiò, ridusse al minimo i miei ingaggi. O forse non ero tanto brava, o passai di moda. Si affermarono volti più interessanti, sempre più moderni... non saprei. Semplicemente, forse, non era la mia strada. Magari lei ha soltanto favorito qualcosa che sarebbe successo ugualmente. E se non volevo finire male dovevo trovarmi un lavoro, uno vero. Fu in quel momento difficile che qualcuno mi offrì un riparo. Il mondo dell'alta sartoria non era definitivamente chiuso per me, anche se dovevo rassegnarmi a viverlo in un retrobottega e non sulle pagine delle riviste. Una brava sarta che lavorava per uno stilista che volle aiutarmi mi diede un lavoro come apprendista. Esattamente come te, Emma, non sapevo cucire, ma avevo voglia di imparare. E poi scoprii che la costruzione di un abito era più affascinante che indossarlo. Sono rimasta con lei protetta dalle spine che mi avevano ferita finché non ho deciso di avviare la mia piccola attività, ormai trentadue anni fa. Pietro aveva già dieci anni, era un ragazzino maturo e molto indipendente, e mi permise di lavorare con serenità senza darmi grossi pensieri. E il resto venne da sé. Ci volle tempo per ingranare ma, una volta sparsasi la voce, mi ritagliai una clientela importante e l'attività iniziò a rendere al di sopra di ogni aspettativa."

"E Ludovico Scalzi?"

"Tenne fede a tutte le sue promesse. Non ha mai abbandonato Pietro. Alla fine si è separato dalla moglie, ma quando i figli erano già grandi. Adesso è un piacente viveur, che vive in giro per il mondo senza legami. Pietro gli è sempre stato molto legato e, malgrado tutto, hanno sempre avuto un rapporto molto sereno. Del resto, la strada imboccata da mio figlio la dice lunga sull'influenza che il padre ha avuto su di lui. Ma io ho dovuto dimenticarlo, giorno dopo giorno. Quella fiammata che credevo sarebbe arsa fino all'ultimo dei miei giorni si è spenta e non è rimasto che un mucchietto di cenere. Non ho più avuto il suo amore... E in verità, non ne ho mai più avuto. Ho cresciuto Pietro, ho creato questo piccolo angolo di paradiso di cui sono infinitamente fiera, ma un giorno mi sono resa conto di essere vecchia e di non interessare più a nessuno. Triste a dirsi, sono scaduta, come una conserva. Ma sai cosa ti dico, mia cara Emma? Che bisogna essere felici di quel che si ha avuto... e anche di quello che non si ha avuto."

"Sagge parole, signora Vittoria."

"Parole di chi ha quasi settant'anni. Se non ho acquisito saggezza, quanto meno ho imparato l'utilissima arte della rassegnazione. E adesso, se voglio portare a termine la consegna, è ora di tornare ai miei merletti. Basta con i ricordi. Emma cara, tu rispondi al telefono, ascolta il mio consiglio."

Le numerose chiamate che hanno succhiato la residua batteria del mio cellulare provengono tutte dal cellulare e dall'ufficio di Antonio Manzelli.

O sta sbagliando numero o ha qualche recriminazione da muovermi per qualche pregresso incarico e, poiché vivo ormai in un ottundimento dei sensi, in una bambagia emotiva un po' artefatta ma assai efficace, ho scelto di non rispondere.

Poi, ho letto anche il messaggio.

Emma, diavolo, rispondi! È importante. AM

E complice l'esortazione della signora Vittoria, decido di richiamarlo nonostante preferirei piuttosto le sofferenze derivanti da un ascesso sulla natica.

"Antonio? Che succede?"

"Succede che adesso devo anche pregarti per darti un cazzo di lavoro! Emma, cosa ti salta in mente?"

"Ma di quale lavoro parli?"

"Del *tuo* lavoro," replica rimarcando l'aggettivo possessivo, con un misto di rabbia e sarcasmo, come se fossi una ragazzetta un po' sciocca. Ah sì? Allora farò la sciocca.

"Non ti seguo."

"Emma, il tuo contratto. L'ho ottenuto! Ti avevo detto che era solo questione di poche settimane. Molla qualunque cosa tu stia facendo e torna alla Fairmont."

Sento un'emozione informe pervadere ogni parte di me. A costituirla vi è di tutto e di più. Vi è del sollievo, della gioia, della gratificazione, ma al contempo, e a sorpresa, questa emozione tanto forte è nutrita anche dal rimpianto, dall'idea di lasciare questa bottega e anche una nuova vita fondata su abitudini nuove, su ritmi rilassati, sull'assenza di competitività, di stress, del veleno di cui chi voglia far carriera è sempre costretto a nutrirsi.

"Cazzo, è caduta la linea," sento dire a Manzelli.

"No, Antonio, eccomi. Sono rimasta in silenzio."

"La gioia, immagino!" esclama, tutto trillante.

"Be', anche. Grazie per il tuo sforzo."

Ho un momento di sbandamento, breve ma intenso. Non so se voglio tornare. Mi sento come un cucciolo adagiato su un cuscino in una comoda cuccia, con qualcuno molto amorevole che porge sempre una ciotola dei migliori croccantini e acqua fresca e pulita e, ogni tanto, anche qualche biscotto. Tornando alla Fairmont ricomincerebbe la mia vecchia vita, che per tanti altri aspetti mi manca, perché una parte di me vuole tornare al cinema. Potrei rintavolare il discorso con Tameyoshi Tessai e godermi l'epifania di un nuovo percorso creativo, tutto tornerebbe com'era quel brutto giorno in cui l'ho lasciato.

"Che entusiasmo! Emma, non ho tempo da perdere. Capisco, sinceramente, quando hai rifiutato il contratto a progetto. E non ho insistito. Ma adesso la compagnia sta dando prova di reale attaccamento nei tuoi confronti. Si è resa conto di aver sbagliato e vuole rimediare. Non fare la difficile, o ti mando al diavolo seduta stante."

"Non direi che è questo il punto... non voglio fare la difficile. Ma dammi solo il tempo di lasciare quello che sto facendo."

"Emma, in giro le cose si sanno. Non hai trovato un bel niente. Ora, a meno che tu non abbia trovato strade alternative tipo il meretricio, mi spieghi cos'hai da lasciare?"

"Dai troppe cose per scontate, Antonio..."

"So solo che oggi è venerdì. E se lunedì non ti presenti in

ufficio, sei fuori e, quant'è vero Iddio, la porta per te si chiuderà in maniera definitiva."

"D'accordo."

Non saluta. Riattacca vomitando altre cose riferite alla mia persona che, pur se ammantate da una vaghezza che non le rende interamente intelligibili, non avevano l'aria di essere lusinghiere.

La signora Vittoria – che non brilla per discrezione – deve aver ascoltato almeno parte della conversazione e sente di dover intervenire. A volte credo che, se Osvaldo fosse dotato del linguaggio, anche lui avrebbe da dire sulla mia vita.

"Tutto bene?"

"Signora Airoldi, mi rivogliono indietro al mio vecchio lavoro." Lo dico così, in maniera elementare. Lei porta alla bocca una mano deformata dall'artrosi, quella con la grossa fede che, ora che conosco la sua storia, non capisco più a che vincolo rimandi.

"Io non ti ho mai chiesto nulla sul motivo per cui hai lasciato il tuo lavoro perché intuivo che era una ferita troppo fresca e che ti addolorava parlarne. È stato Pietro a dirmi tutto..."

Riprendo io stessa le fila di ciò che lei ha lasciato in sospeso.

"Quel giorno... quello in cui ci siamo conosciute... io avevo sostenuto un colloquio con suo figlio qui vicino, nel suo ufficio alla Waldau. Non era andato bene... anzi, per una beffa del destino era stato un fallimento completo. Io mi sentivo davvero a pezzi. Giravo a vuoto, senza più sapere dove andare. E poi il suo cartello. Il destino."

"Oh, non nominarmi il destino che, se mai ci ho creduto nella mia vita, quel momento è bello che passato. Non è un caso che tu sia entrata qui quel giorno e non è un caso, vedi, che oggi ti abbia raccontato la mia storia. Ti ho offerto un riparo, come qualcuno ha fatto con me tanto tempo fa. Nel momento peggiore, qualcuno mi ha teso una mano e ha cambiato la mia vita. Ma tu devi tornare alla realtà, a ciò per cui hai studiato e per cui sei fatta. Questo è un asilo temporaneo che ti ha fatto bene, ma che adesso devi lasciare." Vittoria è perentoria, senza essere aspra.

"Signora Vittoria, non è che sta cercando un modo per dirmi che sono una schiappa e per liberarsi di me?"

Lei sorride con generosità. "Sono sicura che nel tuo lavoro eri tanto più brava. Ed è giusto così! Sei una sartina promettente e una venditrice assai brillante, ma ascoltami... Rimettiti sulla tua strada, Emma, o passerai la vita a pentirtene."

17.

Il misterioso magnetismo personale del Produttore

La verità è che alla fine sono tornata alla Fairmont come un vecchio bersagliere col piumetto che ha sentito il richiamo della fanfara. All'alba del lunedì ero già operativa e tutto era rimasto come l'avevo lasciato. Nessuno aveva avuto il coraggio di occupare la scrivania che era stata della tenace stagista, chissà, forse convinti che portasse male più che per segno di rispetto. Lo scatolone di cartone che conteneva la mia tazza per il caffè americano, una foto di Maria e Valeria e varie cartellette con progetti e appunti giaceva nello sgabuzzino accanto alla cyclette che io e mia madre avevamo comprato in un attacco di salutismo cui non abbiamo mai dato seguito. L'ho riportato in ufficio come se fosse stato semplicemente in letargo.

"Lo sapevo che tutto sarebbe finito bene!" esclama Maria Giulia, abbracciandomi con un entusiasmo da vecchia amica del cuore che, sarà per il caldo afoso di stamane, o per il paradosso della situazione, tollero a fatica.

"Poche smancerie, c'è una valanga di arretrato," s'inserisce Manzelli, affacciatosi alla porta dell'ufficio. Avevo scordato quanto tetro fosse il suo umore di lunedì mattina.

"Dimenticavo. Riunione questo pomeriggio per il garden party."

"Cosa?"

"Maria Giulia, spiegale tu."

La porta si chiude alle sue spalle con il rumore dei tuoni dell'apocalisse. La mia collega prende il Ventolin dalla borsa e ne inala una generosa quantità, a riprova di un'asma totalmente psicosomatica. Apprendo così, tra un'espirazione e l'altra, che il garden party altro non è che una megalomane idea di Manzelli per festeggiare ben tre eventi. Il primo è il successo al botteghino di un film su cui aveva investito quattro soldi ma che a sorpresa tutti stanno correndo a vedere. Un trionfo del passaparola grazie al quale si è potuto quindi procedere al mio raccatto, il che dovrebbe rendermi un'accanita fan della pellicola in questione, peccato solo che sia di una bruttezza sconfortante. Ancora più corposa è la vanità che Manzelli trae dalla prossima acquisizione dei diritti di un romanzo belga ai vertici della top ten di tutta Europa. Il lavorio delle trattative è avvenuto nei mesi della mia assenza. L'autrice del romanzo non ha ancora firmato, ma ha dato la propria parola e l'ufficializzazione è attesa nei prossimi giorni, quando madame Aubegny verrà appositamente da Bruxelles per parlare con il boss. Manzelli vuole quindi cogliere l'occasione del proprio cinquantesimo compleanno e ha affittato un verde e splendido giardino, in una villa fuori dalle Mura aureliane, per una festa che celebri contestualmente il genetliaco e il suo successo. E, poiché la sua schiava personale è in maternità, il piacevole compito dell'organizzazione dell'evento è transitato sulle fragili spalle di Maria Giulia, che sopportano a stento le folate di vento, figurarsi le cazziate di Manzelli.

"Però devo dirti che con la Aubegny ha fatto un lavoro grandioso. Piovevano offerte da tutta Europa, dalla Francia innanzitutto, e lui è stato capace di portarla a credere che la Fairmont Italia fosse l'unica all'altezza del compito," mi racconta animata da quell'inspiegabile magnanimità tutta sua, mentre è al lavoro sulla programmazione dei giorni della Aubegny a Roma da passare poi all'Ufficio stampa. "Però adesso è nevrotico più che mai."

"Certamente, accaparrarselo è stato un gran risultato, considerato che è un romanzo straniero e un bestseller europeo."

"Avremo un sacco da lavorare sul testo," osserva lei. "La trasposizione mi sembra un po' complessa. E i tempi saranno strettissimi, perché lui vuol riuscire a portare il film a Venezia l'anno prossimo e..."

"Scusa un momento," la interrompo, controllando il display del cellulare. È un numero che non conosco.

"Signorina De Tessent?" La voce è familiare e sono abbastanza sicura di sapere a chi appartenga. "Sono Pietro Scalzi. La sto disturbando?"

"No, affatto."

"Ho avuto il suo numero da mia madre. Spero non mi giudichi invadente. Ma ho bisogno di incontrarla. Al più presto."

"In pausa pranzo?"

"Ottimo."

"Mi dica dove."

"Ovunque sia comodo per lei."

Propongo un luogo appartato ma di gusto, tre traverse sopra gli uffici della Fairmont. Lui accetta e io prenoto subito, trascorrendo le ore successive cercando di immaginare – senza riuscirci – le ragioni della necessità di incontrarmi. Con tanta fretta.

La buona notizia è che, nonostante in genere il tempo rallenti quando siamo in febbrile attesa di qualcosa, invece in questo caso sembra subire un'accelerazione, per cui mi ritrovo alle quattordici di fronte all'ingresso del locale in cui abbiamo appuntamento e, per fortuna, lui è puntuale.

Mi viene incontro con un sorriso amabile, sbarbato – e sembra anche più giovane – proprio mentre in sala qualcuno che evidentemente mi legge nel pensiero ha appena fatto partire *I Want Your Sex* di George Michael.

Oh, santa pace...

"Mi scuso per la precipitosità di questo incontro."

"Ci sarà certamente una ragione," ribatto, mentre lui ha preso in mano il menu.

"Certo che c'è. Le va del vino?"

"A pranzo mi stordisce."

"Acqua, allora?" Annuisco. "Per me gamberi alla catalana," dice sbrigativo al cameriere, senza aver davvero studiato il menu.

"Vanno bene anche per me," aggiungo, senza voglia di scegliere. Troppo curiosa per concentrarmi su altro.

Una volta soli, prende un grissino dal cestino del pane e mi fissa per un po'. Poi parliamo di cose di poca importanza, solo perché sarebbe forse troppo audace entrare subito nel vivo di qualcosa che si preannuncia piuttosto scottante.

"Ho saputo da mia madre che ha lasciato il negozio perché è stata richiamata alla Fairmont."

"Ho ricominciato proprio oggi."

"Vede, Emma, io... a volte ho la sensazione di aver sbagliato tutti i tempi con lei."

"Si spieghi meglio," lo esorto, prendendo anch'io un grissino dal cestino.

"Perché dopo quel nostro colloquio tremendo... che poi non è stato così tremendo... tutte le volte in cui ho pensato di chiamarla per offrirle una posizione nella Waldau, è successo qualcosa che me lo ha impedito, e adesso temo di aver perso un'opportunità."

"Si vede che doveva andare così," ribatto, con un dimesso fatalismo che lui sembra non condividere.

"Non lo so. Lo decida lei se non è troppo tardi. Venga con me alla Waldau," dice a voce bassa, con quel suo modo che sembra celare una profondità del sentire che tocca le corde del mio cuore. E io mi sento persa, perché vorrei dire immediatamente sì, anzi, vorrei urlarlo. Per ragioni molteplici.

Perché, dopotutto, la Fairmont mi aveva scartata, dandomi un dolore molto grande. Ed è solo grazie al gusto pessimo di una parte degli italiani se sono stata prelevata dai fondali degli abissi e mi è stata ridata una scrivania.

Perché la Waldau è chic.

Perché da quando l'idea ha preso forma, sogno il film di *Tenebre di bellezza* prodotto da Scalzi, che saprebbe farne un capolavoro mille volte più della Fairmont. Magari avvierebbe una coproduzione e otterrebbe Fassbender come protagonista, e a quel punto potrei anche morire felice.

Per tacere, infine, del misterioso magnetismo personale di quest'uomo inafferrabile.

E quindi vorrei lasciar da parte i grissini, rispedire indietro i gamberi, bere il vino che lui si è fatto portare e io come una stupida ho rifiutato – mai, mai rifiutare il vino! –, prenderlo per mano e dirgli *Mi porti in quell'ufficio che sembra uscito da una copertina di "AD" e faccia di me tutto, ma proprio tutto, quel che vuole.*

Però non faccio niente di tutto questo e mi limito a chinare lo sguardo come una suorina.

"Lei mi lusinga."

"Accetti, allora."

"Perché non me lo ha chiesto qualche giorno fa? Tutto sarebbe stato molto più semplice..." Sembra aver nitida l'impressione del mio rimpianto.

"Ha ragione. La sto mettendo in una posizione complicata."

"Alla Fairmont è un momento particolare."

"Si riferisce alla Aubegny?" ribatte allora, con aria vagamente sarcastica.

"Come fa a saperlo?"

"Segreti? Nel nostro ambiente?" chiede, mentre sguscia l'ultimo gambero. "Emma, accetti. Farò in modo che non se ne debba pentire."

C'è qualcosa che non mi sta dicendo. Lo sente ogni parte di me, che infatti è in allerta come se si aspettasse una rivelazione fatale, che però non arriva.

Il pranzo si conclude con reciproca affabilità, ma senza che nessuna decisione sia stata presa.

"Ci pensi in fretta, le chiedo solo questo. Prima che tante... troppe cose cambino, e influenzino il suo giudizio."

"Lei non è chiaro," gli dico, mentre ancora mi stringe la mano per salutarmi.

"Sì che lo sono. Avrà modo di capirlo da sé."

Sale su una moto enorme, di quelle che suscitano un certo effetto nei cultori del genere – ma personalmente non ne capisco niente. So solo che romba come se fosse sul circuito di Sepang. Un suono sgradevole, che prelude il rimbombo nella mia testa di una serie di interrogativi cui non trovo risposta.

Non adesso, almeno.

18.

Un gelato al Pincio,
la tenace stagista e lo scrittore zen

Nella mia pur breve esistenza non sono mai stata contesa, in nessun tipo di circostanza. Ma adesso, anche se Manzelli non lo sa, subisco le tentazioni del Diavolo, nella persona del Produttore. La seduzione è un'ombra sottile che avvolge il cuore ed è in grado di mutare ciò per cui batteva fino a un istante prima. E mentre ogni cosa sembra pronta per accogliere madame Aubegny, l'unica strada percorribile mi pare quella di tornare dalla signora Vittoria per chiederle di riprendermi con sé nel suo magico mondo di pizzi e colori e sollevarmi dal peso di una scelta.

Ma naturalmente non è vero, non è percorribile.

L'unica possibilità è cercare il meglio per me. E così, mentre la povera Maria Giulia è in ambasce con il pick-up di madame Aubegny che è bloccato per un incidente sul Raccordo, totalmente persa in un labirinto di pensieri ingarbugliati, io scrivo a mano una lista di pro e contro di una cosa e dell'altra.

Al vertice dei contro per la Waldau: *Non cedere alla tentazione di sognare a occhi aperti momenti di sfrenata lussuria con il capo della suddetta compagnia.*

Al vertice dei contro per la Fairmont: *Resistere alla deriva del pessimo gusto che la compagnia sta prendendo negli ultimi tempi dell'Era Manzelli.*

Al vertice dei pro per la Waldau: *So cool!*

Al vertice dei pro per la Fairmont: *Chi lascia la strada vecchia per la nuova...*

"Emma, puoi darmi una mano? Occorre sentire quelli del catering per il garden party."

Che stress. Quanto era bello cucire merletti...

Uscita dall'ufficio, mi torna in mente Tameyoshi Tessai e mi viene voglia di incontrarlo. Gli mando un messaggio cui, inaspettatamente, risponde in maniera tempestiva proponendomi un gelato al Pincio.

Interamente abbigliato di bianco, è luminoso come una spiaggia equatoriale colpita dal sole di mezzogiorno. Con il suo inseparabile panama, gli occhiali scuri e i mocassini di cuoio intrecciato, lo scrittore sembra a sua volta uscito da un libro di Paul Bowles, se non fosse per il gelato alla fragola che gli ha appena chiazzato la camicia. Ma lui non impreca, guarda la macchia con la blanda serenità di chi non dà alcuna importanza a certe cose ordinarie.

"E così è tornata alla Fairmont, signorina De Tessent. È felice?"

"Direi che sono un po' confusa. Nello stesso momento ho ricevuto anche un'altra proposta, molto lusinghiera e appetibile. Non so se accettarla, non so cosa sia meglio per me."

"Sì che lo sa. Ognuno di noi lo sa sempre. Scegliamo di ignorarlo solo perché non ci fa comodo vedere la realtà."

"Dice?"

"Certamente. È un mero fatto di istinto, quello che spinge la specie verso l'autoconservazione."

"Lei come sta?" È sempre più magro. Temo che abbia dato seguito all'assurdo proposito esternato tempo fa, di nutrirsi prevalentemente di radici.

"Prosciugato."

"Da cosa?"

Tessai si acciglia, e infine sul suo volto appare un'espressione di sfumato disgusto come se avesse improvvisamente percepito in lontananza un odore sgradevole.

"Emma, lei non ha idea di cosa si scatena attorno a un talento, di come tutti ci si fiondino addosso come uno sciame di api su una valanga di miele, di come ci si possa sentire sfiniti dal continuo prendere, prendere, prendere come se il genio fosse una fonte inesauribile. Emma, in questa nostra vita... in questo nostro mondo, è assai più conveniente non possedere alcun talento, non saper fare alcunché."

"È un ragionamento che ha una sua logica. Ma sarebbe talmente triste non saper far nulla..."

"La mediocrità è l'unica strada verso la serenità dell'animo."

"Non dica così, signor Tessai. Magari è solo una brutta giornata. Vede, io non la sto neanche assediando con la storia dei diritti! C'è chi la lascia in pace. Ma il talento è sempre un dono che riceviamo e che dobbiamo restituire al mondo."

"Anche Giorgio lo diceva."

Come sempre, quando qualcuno pronuncia il nome di Sinibaldi, che sia lui o mia madre, l'eco del suo ricordo è seguita dal silenzio. Spesso lungo, come stavolta.

"La sua assenza è sempre più dolorosa per me. Il tempo è trascorso e credevo mi avrebbe aiutato. Ma non è vero, sto sempre peggio."

"Credo manchi molto anche a mia madre... Quando lo si nomina, abbassa sempre gli occhi e nella stanza scende la tristezza."

"Non potrebbe essere diversamente. Chiunque l'abbia conosciuto non può che sentirne la mancanza."

Quando si parla di Giorgio Sinibaldi mi prende sempre una sensazione di rimorso molto spiacevole. Lo confesso, certe volte i suoi modi gentili ma riservati mi indisponevano.

Forse perché non riuscivo a inquadrare il suo ruolo nella vita di mia madre, e questo qualcosa di non detto – di cui ormai sono assolutamente certa – creava distanza.

"Signor Tessai, l'eredità di Sinibaldi resta sempre molto viva. Pensi a me e a lei, non saremmo qui a goderci questo crepuscolo sul Pincio, se non fosse per lui."

"Giorgio aveva un'opinione altissima di lei. Mi parlava di un carattere spinoso che nascondeva una profonda sensibilità e capacità di osservazione."

Penso a quella rigorosa formalità nei rapporti con mia madre che attribuivo alla presenza mia e di Arabella. Eppure il suo sguardo rimaneva limpido, pieno di affetto. Forse mia madre rifiutava l'idea di rimpiazzare Julian De Tessent con chiunque fosse vivo. Proprio perché vivo, reale, non avrebbe mai potuto reggere il confronto con quell'allegro manigoldo senza arte né parte che era mio padre, così bello, così speciale, così seducente, e tutte queste doti una volta morto sono diventate ancora più irraggiungibili. Eppure qualcosa mi dice che papà sarebbe stato felice di saperla al fianco di Giorgio. Lui non era un tipo egoista. Aveva una visione socialista della vita anche in termini affettivi. Tutta la solitudine che ha appannato le giornate di mia madre, trascorse spruzzando il Vetril sulle foto incorniciate di papà disseminate in tutta la casa per sentirlo sempre tra noi, per non dimenticare le più belle espressioni del suo viso, avrebbe potuto trarre un munifico conforto dalla solidale e gentile presenza di Sinibaldi. Più penso a quei bellissimi orecchini e a quel secco rifiuto di mia madre, più credo che abbia peccato di una stoltezza rara.

"Crede che Giorgio soffrisse molto per mia madre?" gli chiedo senza riflettere troppo, accorgendomi solo dopo che questa non è che una delle mille domande che vorrei rivolgere proprio alla diretta interessata, senza trovare mai il momento giusto per crearmi un varco nella sua resistenza a parlare di sé.

Tessai si irrigidisce impercettibilmente. Getta nel cestino un fazzolettino sporco e tira giù sulla fronte il panama.

"Ne ha sempre sofferto moltissimo, e per ragioni profonde. Direi viscerali. Ma questa storia, Emma, non tocca a me raccontarla..."

Il silenzio cala tra noi e ci dice che è giunto il momento di salutarci. Tameyoshi china il capo e mi lascia con un monito: "Riguardo alla sua scelta... È semplice. Tanto più semplice di quel che lei stessa crede: la scelta giusta è sempre quella che le dà gioia al solo pensarci".

19.

La tenace stagista e i voltagabbana

Tre giorni dopo, tuttavia, la scelta che dà gioia al solo pensarci non si è ancora resa manifesta, forse perché nel frattempo è arrivata madame Aubegny. Alta, avvizzita ma qui e lì rigenerata dal botox, impercettibilmente volgare e visibilmente pretenziosa. Come da sua richiesta, alloggia all'Hotel de Russie ed è una donna talmente bizzarra che ha rischiato la vita almeno tre volte perché l'avrei strozzata con le mie mani. Certi creativi andrebbero avvisati che il successo ha durata e significato effimeri e non dovrebbero approfittarsene. E qualcuno dovrebbe anche dir loro che con il karma non si scherza e che tirandotela così tanto ti finisce facile facile che nella prossima vita rinasci come moscerino della frutta.

La sua agente ci ha appena avvisati che nel pomeriggio e poi per cena ha degli appuntamenti privati di natura editoriale e almeno questo ci sgrava del fardello di occuparci di lei. Frattanto Manzelli, che di suo possiede una personalità tendente all'isterico, è irritabile e permaloso. Ha da ridire su tutti i preparativi del garden party e profetizza sciagure su ogni fronte. Il tutto perché, ogni volta che le rifila il contratto, la Aubegny svicola con un francesissimo *après manger* che lo sta sfinendo, perché mangiano ovunque, a tutte le ore, e però madame non ha ancora firmato.

Così sono libera di uscire prima dall'ufficio e andare a cena da Arabella, con un menu a base di sofficini e Coca Light.

Mia sorella sembra essersi sottoposta a quegli interventi chirurgici che ti levano un pezzo di stomaco e perdi peso in tempo record. Asciutta e smunta, un'aria infelice da madame Bovary e la stessa precaria volontà che palpita a tutti i venti. Controlla il cellulare in maniera ossessiva, aspettando un messaggio dal collega dell'ambasciata, ben felice che il marito sia fuori città per seguire un progetto in Toscana.

Dovrei quindi essere priva del senso della vista se non mi accorgessi che il visconte di Valmont è vivo e vegeto e continua a frapporre le sue insistenti attenzioni tra mia sorella e l'Orrido Cognato realizzando quel particolare dolorosissimo tipo di corna che la donna vive con fatale struggimento nel rifiuto di essere transitata dal ruolo di moglie perfetta a quello di lasciva traditrice, senza vie di mezzo. Perché in effetti, come darle torto sul fatto che non si può essere adultere a metà? Non posso che sperare che tutto passi molto presto, perché con certe discrasie non si viene a patti. Perché posso già prevedere che, anche quando tutto sarà finito, Arabella non potrà dimenticare. E lo so sulla mia pelle, perché ancora oggi la sensazione di essere stata una persona orribile che non riusciva a farsi il suo nido e per questo andava a ravanare in quello altrui non mi ha ancora abbandonata. Anche se poi le cose non sono così semplici da riassumere, né l'identità di una persona può essere definita solo da una scelta o dall'aver ceduto per una volta a quella propulsione verso l'errore che è propria dell'essere umano.

In un attimo di silenzio assoluto, in cui entrambe siamo disperse ciascuna in una propria galassia fatta di pensieri in libera circolazione come meteoriti impazziti, Valeria si affaccia alla porta del terrazzo e ci trova così, del tutto smarrite nella bizzarra inquietudine degli adulti.

"Pulcetta, non hai sonno?" le chiedo, mentre Arabella resta di spalle, perché ha gli occhi colmi di lacrime e non vuole farsi vedere così dalla figlioletta.

"Mi manca papà," mormora, tenendo stretto un tremendo mostriciattolo che è da sempre il suo giocattolo preferito.

"E a noi ci mancava solo questa!" esclama Arabella.

Valeria si avvicina e mi confida, parlando nell'orecchio: "Zia, forse lui va via perché io gli ho raccontato che, quando lui parla, la mamma alza gli occhi al cielo".

"Ma no, pulcetta. Anche se in linea di principio non è stata una grande idea raccontarlo a papà. Lui è solo via per lavoro, torna domani. Tutti noi abbiamo bisogno di lavorare. Anche mamma. E un giorno, anche tu e anche Maria."

"No, io no."

"E come farai a comprare le cose che ti piacciono?"

"Faccio bancomat."

"Capisco."

Arabella, in quanto erede di una linea di sangue di svogliati nobiluomini che è riuscita a dilapidare un consistente patrimonio, e che quindi ben conosce l'importanza di recepire al più presto il valore del denaro, interviene con pazienza cercando di perfezionare la visione del mondo della sua secondogenita, ma la bimba sbuffa e le chiede di essere cullata. E così la serata volge silenziosamente al termine, anche se non ho sonno e, se potessi scegliere dove andare, direi subito in via Oriani.

Inizio a credere che non è poi così male che diventi un locale.

Con un po' di fortuna serviranno drink a base di champagne, Chambord e lamponi e non sarà poi tanto male. Ma per questa notte non sfamo i miei sogni e torno a casa per cercare di dormire.

Domani è il giorno del garden party e posso solo immaginare tutti i modi con cui Manzelli e madame Aubegny lo renderanno indimenticabile.

E invece no, non potevo immaginarlo davvero. Perché, come ho sempre sostenuto, la realtà supera la fantasia.

L'aria che si percepisce in ufficio è densa e torbida come quella che prelude a un acquazzone tropicale. Maria Giulia viene a prendermi alla macchinetta del caffè, pallida e con un alito da gastrite acuta che butterebbe giù un cavallo.

"Tragedia, tragedia," mormora, con avvilimento.

Non mi permette nemmeno di finire il caffè. Mi trascina per mano verso il nostro ufficio, passando per caso di fronte alla stanza di Manzelli i cui ululati riecheggiano nel corridoio, malgrado la porta sia debitamente chiusa.

"Lo sapevamo che avrebbe dato di matto," le dico, con tono rassicurante.

"Tu non hai idea di quello che è successo," replica lei e l'aura apocalittica con cui è solita dipingere scenari del tutto risibili continua a confondermi e a lasciarmi credere che, dopotutto, non sia accaduto nulla di troppo grave.

E invece, mi ritrovo a darle ragione.

"La Aubegny non vuole più firmare."

"Merda! Ma perché?"

"Ha detto di aver ricevuto un'offerta interessante e di non essere più convinta che la Fairmont sia la miglior opportunità."

"Non è negoziabile?"

"Pare di no. Manzelli è su tutte le furie e sta cercando di capire chi gli abbia soffiato l'affare e in che termini di scorrettezza. Sta valutando di annullare il garden party."

"Ma è stasera! Con che scusa?"

"Vuole inventarsi di aver avuto un infarto. Ma di questo passo entro oggi gli prenderà davvero e non avrà bisogno di fingere."

"Pover'uomo," mi ritrovo a commentare.

"È tutto in divenire. Oddio, Emma, non riesco a immaginare come andrà a finire."

"Se non riuscirà a convincerla alzando il prezzo, dovrà inghiottire il rospo, c'è poco da fare."

"Pare che non sia una faccenda di soldi."

"È sempre per soldi," ribatto convinta. Che poi, a dirla tutta, di madame Aubegny mi sono fatta un'idea tanto pessima che non vedo cos'altro possa attrarla oltre al vil denaro. "Su, Maria Giulia. Non essere tanto abbattuta," le dico dandole una pacca sulla spalla. "Gli passerà. Certo, è un peccato, perché sarebbe stato evidentemente un successo. Ma si sa come vanno le cose nel nostro mondo."

Lei sta per ribattere quando sentiamo un accento francese svolazzante come un calabrone.

"Oddio, è lei!" esclama MG.

"Magari sono riusciti a comporre bonariamente la cosa," osservo, animata da un ottimismo del tutto insolito.

Maria Giulia apre la porta calibrando il giusto varco attraverso cui sondare la situazione.

Madame Aubegny sembra alterata tanto quanto Manzelli e la sua agente sta facendo in modo di calmarla, con scarsi risultati.

La scrittrice alla fine lascia i nostri uffici sbattendo il portoncino così forte da scuotere l'edificio dalle fondamenta.

Al che Maria Giulia apre la porta, giusto in tempo per cogliere in pieno Manzelli che esclama: "Dio stramaledica la Waldau!".

Ed è in quel momento che lentamente ogni cosa si fa chiara, come lo specchio del bagno che si disappanna dopo una doccia bollente, e io sono preda di sentimenti talmente contrastanti da aver bisogno, per un momento, di chiudermi nello scantinato, non foss'altro che per non sentire Manzelli lanciare anatemi verso l'uomo da parte del quale ero a un passo dall'accettare un impiego.

20.

La tenace stagista e il garden party

Nel libero mercato, ognuno fa il proprio gioco. Di questi tempi, tracciare un confine tra l'eticamente corretto e la carognata è più difficile che mai. E allora, pur conscia di tutto ciò, perché sento che il piedistallo su cui avevo collocato Scalzi è tristemente crollato facendolo cadere in una voragine di indignazione dalla quale non riesco più a tirarlo fuori? E perché la sua proposta all'improvviso si è sporcata e non potrei più tenerla in considerazione?

Forse perché l'intera ricostruzione degli eventi restituisce l'immagine di un'operazione ignominiosamente laida. Pur sapendo che la Aubegny era a Roma per firmare con la Fairmont, Scalzi ha mandato una lussuosa auto privata a prelevarla all'Hotel de Russie. L'ha invitata a cena a casa propria, dove uno chef ha preparato una cena esclusiva a base di aragosta e vini pregiatissimi al termine della quale pare l'abbia anche vilmente sedotta. E non solo promettendo una pellicola memorabile e un budget abbagliante, su cui ha offerto una percentuale – si dice – al di fuori di qualunque regola del mercato, ma soprattutto elargendo alla voluttuosa scrittrice una notte di passione in grado di farle partorire un nuovo romanzo, stavolta a tinte forti – il che a ben pensarci la porrebbe ancor più in linea con le odierne pruriginose tendenze editoriali. E l'indomani mattina, uno Scalzi rinvigorito nella tempra, maschio alfa nella fibra, aveva la firma sul contratto.

Il tutto sembra ai margini del surreale e del grottesco, ma Manzelli sostiene di aver ottenuto le suddette informazioni da fonti affidabilissime. Per conto suo, il mio capo ha giurato una vendetta memorabile e si è ripreso da un malore con un bicchierino di acqua e zucchero. E dopo un iniziale disorientamento spazio-temporale con annessa foga di annullare il garden party, si è ripreso e ha deciso di onorare l'impegno, indossando una maschera e sprizzando gioia e soddisfazione da ogni poro: "Perché io non ho niente di cui vergognarmi. Qualcun altro, semmai!".

E quindi mi avvicino al giardino della villa con indosso un abitino da cocktail di chiffon che è stato un commovente regalo della signora Vittoria. Pur lavorando elettivamente solo per i bambini, in maniera sporadica cede all'impulso di realizzare anche abiti da donna, che il più delle volte finisce col regalare. È stato il suo modo di salutarmi e io sono pazza di questo abito color latte-menta che è unico al mondo e che è il ricordo di questa strana estate tessuta nella mia vita come una trina applicata a un abito stinto.

E, in tutta onestà, mi aspettavo di incontrare chiunque oggi, ma non Lui. L'artefice della tragedia, il Produttore Ladro, l'Infame Seduttore di Scrittrici Racchie e Voltagabbana. Che si aggira per il buffet guardandosi bene dal toccare cibo, come se fosse venuto solo per dare uno smacco a Manzelli, con la Stronza Boccolosa che indossa un grazioso quanto inappropriato abitino da educanda ed è stretta al suo poderoso braccio come una sposa che teme un "no" sull'altare.

Mi accerto con Maria Giulia che Manzelli sia ancora vivo.

"È diventato cianotico quando l'ha visto. Poi gli ha stretto la mano, l'ha ringraziato per essere intervenuto e si è complimentato per la mossa vincente."

"Un gran signore!" esclamo, un po' sorpresa dal resoconto di un atteggiamento tanto remissivo.

"Renderà lo sgarbo al momento opportuno," osserva Maria Giulia, sorseggiando il prosecco.

Manzelli mi fa quasi pena. Teneva al film della Aubegny come una donna tiene al più sfavillante tra i propri gioielli. Bastava che ne parlasse per sembrare un uomo nuovo.

Scalzi è stato scorretto. E presentandosi qui, oggi, è stato anche meschino, laddove la sua condotta non fosse già stata sufficientemente ripugnante. Ci vedo l'intento di umiliare il rivale, quando io invece penso che sia proprio il modo in cui vince a qualificare il grande uomo.

In un momento in cui la Stronza Boccolosa ha mollato la presa per una visita alla toilette, il Laido Produttore ha il coraggio di salutarmi col fare di chi si aspettava qualcosa.

"Non c'è che dire, si è presa il suo tempo per darmi una risposta. A questo punto devo ritenere che la mia offerta fosse troppo scadente e poco interessante anche solo per la buona educazione di un rifiuto."

"No che non ci vengo a lavorare alla Waldau, con gente come lei e chi la accompagna oggi."

Scalzi sembra divertito. "Questa è tutta da ridere, signorina De Tessent. E sentiamo, può dirmi il perché?"

"Lei è una persona intelligente. Le occorrono davvero delle spiegazioni?"

"Francamente sì. Perché inizio a trovare questo atteggiamento un po' irritante."

"Lei ci ha soffiato la Aubegny. In modo basso, scorretto."

Lo sguardo di Scalzi si fa feroce. "Prima di sputare sentenze, dovrebbe prendersi la briga di conoscere la verità."

"Sono disposta a credere che parte del racconto che mi è giunto non sia vero, perché se così fosse lei sarebbe davvero una persona troppo spregevole per essere il figlio di Vittoria Airoldi. Ma mi sembra difficile che tutto il resto sia frutto della fantasia di Manzelli. Del resto la verità dei fatti è che la Aubegny ha firmato con voi, sicché..."

"Sicché un corno. Mi stia bene a sentire, signorina De Tessent. Mentre lei si trastullava con pizzi e ninnoli nel negozio di mia madre, perché alla Fairmont l'avevano silurata indegnamente a favore della sua collega raccomandata – credeva che non lo sapessi? –, io portavo avanti una via crucis per convincere quella donna infernale a vendermi i diritti di questo romanzo che personalmente trovo orrendo, ma che premeva oltremisura alla dirigenza a Oslo. E c'era in ballo una promozione che doveva spedirmi a New York come capo della sede americana. Una trattativa lenta, estenuante, sgradevole. Che però era terminata con una risposta positiva. E poi è arrivato il suo eroe, Manzelli. Ha sabotato il progetto con una concorrenza veramente sleale – perché non glielo chiede, cosa ha fatto? – e la Aubegny ha ritrattato all'ultimo momento. La mia promozione è sfumata e a New York c'è finito un francese – e questo è il lato più odioso di tutta la faccenda! Quindi, mia cara signorina so-tutto-io, non ho fatto che cercare di recuperare il maltolto. A piccoli passi, con difficoltà. Perciò non venga a dirmi che io sarei uno che frega i progetti altrui perché quest'accusa dovrebbe rivolgerla proprio al suo capo. Che, per sua scelta, non sono io."

Resto ammutolita. A questo lato della faccenda non avevo proprio pensato, ossia che ci fosse un raggiro partito da Manzelli, cui Scalzi non ha fatto che replicare.

"In ogni caso, essersi presentato qui oggi è stato un gesto di pessimo gusto. Perché lo ha fatto? Ha vinto, alla fine. Non aveva niente da dimostrare."

"Potrei spiegarle il perché, ma credo che lei non lo capirebbe."

"Naturalmente. Io sono ottusa."

"Certo che non lo è. Ma è accecata dal pregiudizio nei miei confronti. Io e Gloria – la mia assistente – abbiamo ricevuto un invito formale. Intervenendo non abbiamo dimostrato altro che il pacifico intento di mantenere rapporti cordiali nonostante il suo capo abbia fatto di tutto per osteggiare la Waldau."

"Che gesto magnanimo."

La Stronza Boccolosa ci sta raggiungendo a grandi falcate, ma non riesce a evitare che il Produttore si chini lievemente sul mio viso e dica, in un soffio che mi sconvolge, con il fascino un po' sulfureo del ladro gentiluomo: "E non ultimo, era un modo come un altro per rivederla, signorina De Tessent".

21.

I dilemmi esistenziali della tenace stagista

L'abito latte-menta giace un po' scomposto sulla poltrona e ancora più scomposta sono io nel mio letto, insofferente alla calura – a casa mia non si usano climatizzatori giacché mamma è pertinacemente avversa.

Quella frase del Laido Produttore mi ha fatto compagnia tutta la notte. Valeva la pena litigarci, per sentirsela dire.

Altroché, se ho *sentito*. Di tanto in tanto questa mia vita, che a volte mi sembra un po' noiosa, mi riserva inusitate emozioni.

Non so se ho voglia di cercare negli anfratti più torbidi della Fairmont la prova che la verità la sta dicendo proprio Scalzi. Non so se ne ho bisogno, perché un'intima parte del mio raziocinio gli crede senza che occorrano attestazioni. Perché lui non può mentire e perché Manzelli è un po' un verme, e io questo lo so da tanto tempo.

Anche mia madre è già sveglia, armeggia in cucina rivoluzionando la collocazione del servizio da tutti i giorni che ereditò dalla nonna De Tessent; lo fa ogni anno, specie se è di cattivo umore. Probabilmente anche Arabella è sveglia a casa sua, sul bordo di quel letto coniugale in cui si è infilata una serpe.

Il cuore di ciascuna di noi fa da nido a un tormento piccolo come un colibrì e non vorremmo altro che lasciarlo volar via lontano.

Tutta la notte ho immaginato di chiamare il Produttore per dirgli *Mi dispiace di averla giudicata con severità. Ricominciamo tutto da capo. Vengo a lavorare con lei, se mi vuole ancora.* Perché questa è la scelta che mi dà gioia, quella che intendeva Tessai, adesso ne sono sicura. Adesso, dopo essere stata più acida di una cagnetta isterica.

Perché nella mia vita il senso del tempismo è sempre stato cruciale. Ho pudore di comporre il suo numero e dirgli alcunché. Aspetto un'illuminazione dall'alto.

E nel frattempo vado al lavoro alla Fairmont, in cui si respira un'aria di lugubre disfatta nonostante il garden party sia stato un evento particolarmente ben riuscito.

Maria Giulia ha un paio di occhiaie da pulzella con la tisi e un'aria empaticamente luttuosa che vorrei tanto smantellare dicendole quel che ho appreso da Scalzi.

"Hai mai pensato che la Waldau fosse arrivata prima?"

"In che senso?"

"Cioè che le cose siano andate diversamente da come crediamo. In altri termini, che Manzelli avesse tentato di fregare la Aubegny alla Waldau e loro se la siano semplicemente ripresa."

Maria Giulia appare confusa.

"No, non ci ho mai pensato, perché Manzelli non ne ha mai fatto menzione, e poi ho visto come ha lavorato alla trattativa per tutta l'estate. Forse la Aubegny ha fatto il doppio gioco."

Rispondo con un sospiro gonfio di incertezza. Anche questa eventualità non è da escludere. Ma dopotutto, perché do ancora tanta importanza alla faccenda? È già passata.

Lavoro pigramente tutto il giorno, finché vedo Maria Giulia stampare dei fogli che poggia sulla mia scrivania.

"Leggi," mi dice, scura in volto.

Si tratta di mail riservate (*"Ho chiesto a un collega che mi doveva un favore,"* si giustifica Maria Giulia), in cui emerge chiaramente che, facendo leva su presunti rapporti amichevoli e personali con l'agente della Aubegny, Manzelli le ha scritto sconsigliandole di ascoltare il canto delle sirene, mettendola in guardia sulla situazione finanziaria della Waldau, sulle cui spalle graverebbe un maxidebito da sessanta milioni e riferendo di presunte beghe azionarie che presto avrebbero portato al completo fallimento della compagnia.

Benché non possa escludersi una ripresa, questa potrebbe richiedere tempi di ristrutturazione assai dilatati per gli interessi della tua cliente. Il mio consiglio è di dissuaderla da questa idea e ascoltare proposte ben più solide sul piano finanziario, con un rischio d'impresa trascurabile e con una garanzia di risultato nettamente superiore a quelle prospettate da Pietro Scalzi che, pur se animato da tanta buona volontà, non potrà porre un argine alla rovina della compagnia.

"Ed è vero?" chiedo.

"Cosa?"

"Che la Waldau sta fallendo?"

"Mi sono informata anche su questo. Assolutamente no. Piuttosto, era la Fairmont in una situazione critica. E tu ne sai qualcosa, dopotutto. Parlandoci chiaro, la Fairmont quest'anno ha rischiato il completo tracollo finanziario e la verità è che nemmeno ora è fuori dai guai. E di queste cose ci tengono all'oscuro. Questa storia della Aubegny mi ha insospettita e per una volta non ho nascosto la testa sotto la sabbia. E sto scoprendo scenari da panico" ai quali Maria Giulia reagisce con una poderosa inalata di Ventolin.

Orbene, MG è ansiosa e ipocondriaca, il che mi convince che devo prendere per buona solo la metà di quanto sta affermando. Ma le sue scoperte portano nuovo vigore a quella forza propulsiva che mi spinge verso Scalzi con lo stesso moto con cui la corrente del mare spinge le alghe, i pezzi di legno e i fustoni di detersivo verso l'approdo dettato dal vento.

Il cellulare è stretto tra le mie mani come se fossi lì lì per usarlo, ma non riesco a farlo. E dire che non sono mai stata timida.

C'è un momento in cui occorre scegliere per noi stessi. Per me è arrivato, eppure non sono in grado di essermi fedele, nonostante tutto ciò che mi è accaduto negli ultimi mesi, fino a oggi.

22.

Le verità di Marina De Tessent

"Non l'hai ancora chiamato?"

Mamma mi versa dell'acqua nel bicchiere del servizio buono. "Ho verificato che non lo usavo da quindici anni, è peccato tenerlo solo per prendere polvere," mi dice. Già stamattina, quando le ho raccontato quanto è accaduto negli ultimi turbolenti giorni, ha iniziato a pungolarmi, insistendo perché io chiami Scalzi il prima possibile.

"Sento un freno," ammetto.

"Perché?"

"Non so spiegarmelo."

"Potrei chiedere a quell'amico di Sinibaldi..."

"Mamma!" la interrompo. "Che idea terribile! Tutto è andato a rotoli proprio per la telefonata dell'amico di Sinibaldi."

"In realtà, mia piccolina, tutto è iniziato da una telefonata dell'amico di Sinibaldi. Diversamente, non avresti mai pensato alla Waldau, per tua stessa ammissione."

"Be', sia come sia, le cose ormai stanno così. Sono l'unica a poterle cambiare, adesso."

"Ecco, finalmente ne hai detta una giusta."

"Domani lo chiamo."

"Bravissima."

"Mamma... ma a proposito di Sinibaldi... Ci pensi mai a lui?" Tace, assorta. "Mamma?"

"Che intendi?"

"Se ti manca."

"Certo che mi manca. Era una persona gentile."

"Solo per questo?"

È sulle spine. Non capisco perché sia così difficile ammettere che gli voleva bene. D'accordo, magari certe confidenze a una figlia sono difficili da fare. Ma mica parliamo di segreti inconfessabili. Almeno spero.

"Emma... se vuoi chiedermi qualcosa... fallo."

Ah no, non mi faccio pregare.

"Chi è veramente Giorgio Sinibaldi per noi? Persino Tessai sapeva che papà ci ha affidate tutte a lui. Cosa c'è dietro?"

"Giorgio... È una lunga storia." E ripiomba in un silenzio estenuante.

"Mamma, in tv stasera non c'è niente e all'edicola di fronte non hanno consegnato il collo con gli Harmony di questo mese. Non abbiamo proprio niente da fare. Raccontamela!"

"Lunga e complicata..."

"Meglio, sarà di maggiore intrattenimento."

"Cielo. Non so se sono pronta," balbetta.

"Mamma. Sono adulta. Cosa vuoi che mi sconvolga? Se anche tu fossi stata innamorata di lui... che male c'è ad ammetterlo?"

"Amore? No, no! Non c'entra niente l'amore."

"E allora cosa?"

"La nonna..."

"Che c'entra la nonna, adesso?"

Mia madre sembra vittima di un obnubilamento dei sensi che inizia a preoccuparmi.

"Non la nonna De Tessent." Che è quella che io ho conosciuto e amato e che viveva con noi quando io e Arabella eravamo piccole.

"La nonna Elisabetta." Ossia la madre di mia madre, che non ho mai conosciuto e che in casa mia è innominabile.

Al punto che sul suo conto deve essermi sfuggito qualcosa di piuttosto serio.

L'ignominioso segreto di famiglia

Costei, che era originaria di Venezia, viveva col nonno che faceva il maestro elementare a Monterotondo, un paesino alle porte di Roma. Perennemente depressa e annoiata, viveva sul proprio letto leggendo rotocalchi e cambiandosi ogni giorno lo smalto. Poi arrivò mia madre e la situazione peggiorò. Non aveva alcuna voglia di occuparsi della neonata, che la sfiniva. Il nonno e la sua famiglia dovevano far tutto. La piccola Marina proprio non riusciva a interessarla, l'impegno che comportava le appariva insostenibile.

Poi il nonno scelse di trasferirsi nella grande città, per un incarico più prestigioso, portandosi appresso moglie e figlia. Assunse una tata che sgravasse Elisabetta dagli impegni legati all'accudimento della bimba, e per un po' le cose parvero andar bene. Poi però la moglie diventò sempre più distaccata e insofferente, finché la situazione non divenne intollerabile e, alla fine, il nonno si sentì sollevato quando lei se ne andò. Così, dall'oggi al domani, senza guardarsi indietro. E nessuno riuscì a togliere dalla testa della piccola Marina che fosse colpa sua.

Questo è quanto già so.

Adesso mia madre viene a dirmi che, anni dopo, Elisabetta tornò a farsi viva. Suonò alla porta tenendo per mano un bambino in calzoncini corti con una zazzera bionda. Marina non ne capì molto. Sentì i suoi genitori litigare così forte che si tappò le orecchie, mentre quel bambino seduto al loro tavolo da cucina beveva un bicchiere di latte fresco. La madre tornò in cucina che sembrava una furia. Strattonò così forte il bambino che il bicchiere cadde per terra e si ruppe. E il nonno pulì ogni cosa dopo che se ne furono andati.

"Chi era quel bambino?"

"Nessuno."

Quando Marina aveva venticinque anni quel bambino tornò a cercarla. La loro madre aveva contratto una malattia ai polmoni e rischiava di non farcela.

Quel bambino, ormai ragazzo, era Giorgio Sinibaldi.

Elisabetta e il nonno nel frattempo avevano divorziato, e Marina non rivide più la madre, che aveva sposato un ricco editore conosciuto dopo aver lasciato il nonno. Poco dopo era nato il piccolo Giorgio e la madre viveva nell'agio comportandosi da moglie modello. E soprattutto, accudiva Giorgio come mai aveva voluto occuparsi di Marina.

Mia madre si sentiva profondamente ferita. Mandò via Giorgio e rifiutò di aver notizie della madre.

Non faceva che chiedersi cosa non andasse in lei e nel nonno, perché con loro Elisabetta era stata una persona orribile mentre con Sinibaldi padre e figlio no. Perché a loro era toccata la parte guasta e invece agli altri quella sana? Perché a lei era toccato lo strappo doloroso del cordone ombelicale, anziché una naturale recisione? Perché Giorgio Sinibaldi aveva avuto una madre e lei no?

Trascorsero altri anni. Marina incrociò Julian De Tessent grazie a un'amica comune che era anche un po' innamorata di papà. Mamma gli chiese: "Cosa fai nella vita?" e lui rispose: "Niente, ma lo faccio meravigliosamente bene". E la verità è che a lei quel far niente piacque da morire, e per lungo tempo se lo godettero proprio, finché non si accorsero che i soldi non si rigeneravano automaticamente. Lui aveva ereditato dei possedimenti in Italia, nell'alto Lazio, che erano appena la metà dell'eredità originaria, ma il nonno De Tessent e, ancor di più, il bisnonno non erano riusciti a gestirli con profitto. Papà li perse definitivamente e non fu facile accettarlo e soprattutto trovarsi una specie di lavoro come traduttore freelance. E nel frattempo arrivammo Arabella e io. E considerato che Marina una madre non l'ha mai avuta, ha saputo cavarsela egregiamente perché io non saprei immaginare una mamma più dolce della mia. Il nonno morì, e poi anche Julian si ammalò. Fu allora che mio padre – a differenza nostra, al corrente di tutto – si prese la briga di cercare Giorgio Sinibaldi, perché era l'unico legame familiare in vita che restava alla mamma e che potesse aiutarla qualunque cosa fosse successa dopo la sua morte. Un pensiero molto lungimirante, considerato il temperamento poco accorto di mio padre.

Giorgio si rivelò una persona attenta e generosa, ma il cuore di mia madre era serrato e lo tenne sempre a distanza. Accettò il suo aiuto con riluttanza, perché in tante occasioni non poteva farne a meno o perché non sapeva a chi altri rivolgersi. E quando anche Elisabetta morì, non volle andare ai funerali. Non accettò nulla di ciò che le era appartenuto. Giorgio insistette per gli orecchini che ho trovato, ma da quando sono entrati in possesso di mia madre non hanno mai visto la luce del sole.

A tutt'oggi, mia madre non riesce a perdonare Elisabetta, e in quel suo cuore generoso resta aperta una voragine che non è mai riuscita a colmare.

Mia madre sa di non aver avuto rispetto e comprensione per quel fratellastro gentile che voleva solo rendersi utile. Un uomo di buon cuore che sentiva su di sé le colpe di una madre che si era comportata in modo incomprensibile. Cercava semplicemente di mantenere una promessa.

Adesso che non le resta nessun altro a parte noi perché il Tristo Mietitore ha saccheggiato la sua vita, al solo sentir pronunciare il nome di Giorgio, Marina piange e rimpiange.

"Vedi, Emma. La morte rende impossibile tutte le correzioni che avremmo voluto fare. Di fronte all'aiuto di Giorgio non ho fatto che scalciare, senza capire. Ci sono stati tanti momenti in cui mi accorgevo di esagerare. E avrei voluto chiedere scusa subito e dirgli *Mi dispiace. Non è colpa tua. Vorrei essere diversa e saper ricambiare la tua gentilezza e vorrei essere capace di volerti bene senza riserve.* Ma non l'ho mai fatto e adesso non potrò più dirlo. Solo la morte rende impossibile un passo indietro. In tutti gli altri casi, siamo sempre in tempo per cambiare idea. O per chiedere scusa."

Sono molto turbata. Avevo un'idea dei fatti tutta mia e mi sembra ingiusto che mia madre non ci abbia raccontato questa storia.

"Come hai fatto in tutti questi anni a non dirci chi fosse in realtà Sinibaldi? Era nostro zio. Avevamo il diritto di saperlo." Mi sento scontenta e anche un po' delusa. Ma lei ci tiene a rivendicare le sue ragioni.

"Prima ancora, io avevo il diritto di far pace con tutto questo. Con la rabbia che non riuscirò mai a smettere di provare nei confronti di mia madre e con i sentimenti che provo nei riguardi di Giorgio, che non c'è più."

"E adesso ci sei riuscita?"

"No. Ma a una tua domanda così diretta, non avrei potuto rispondere con altre bugie."

Credo di riuscire infine a capirla. Mi appare adesso enormemente triste in tutta la sua solitudine e vulnerabilità. E mi è sempre più chiaro che dobbiamo imparare ad accogliere le nostre piccole povertà.

"Mi dispiace per quello che hai sofferto, per come sei cresciuta. Per ciò che ti è mancato."

Mia madre sorride con serena mitezza. "La vita di ognuno di noi va come deve andare. L'importante è non rimuginarci troppo."

23.

La tenace stagista si scopre coraggiosa

Se a un certo punto della tua vita ti accorgi che una cosa non può più andare, ciò è indipendente dalle alternative. In altri termini, non dovrebbe essere soltanto la possibilità di far qualcos'altro a chiarirci che non possiamo continuare a far ciò che stiamo facendo. Ed è per questo che oggi, prima ancora di qualunque altro passo, lascio la Fairmont. Perché ormai credo di aver perso la fiducia nel mio lavoro e, soprattutto, la voglia di far qualcosa di buono. E perché voglio andare incontro alle nuove opportunità in un vertiginoso e libero schianto. Forse sono pazza, ma è l'unica cosa che sento di poter fare. Il mio sentiero è tracciato e lo devo seguire. Fatalmente.

Dalla mia, il fatto che il mio contratto non è stato ancora firmato per questioni amministrative. Quindi lavoravo irregolarmente, non meno di un clandestino, ma la situazione sarebbe stata presto sanata, giurava Manzelli.

Comunicargli che me ne andrò non è dura come pensavo.

"Brava, brava la nostra tenace stagista," dice mimando un applauso pieno di sarcasmo. "Lasci la mamma e dove te ne vai?"

"Non lo so ancora. Ma l'importante è aver capito."

"Cosa tu abbia capito resta un mistero. Be', perdiamo

una valida collaboratrice. Ma non volermene, se ti dico che tutti siamo utili e nessuno è indispensabile."

"Altroché. Della razza delle tenaci stagiste, poi, persa una se ne trova subito un'altra," osservo, sarcastica.

"Questa è una delle poche certezze che ci restano nella vita. Bene, Emma, se è tutto..."

"È tutto."

Stavolta lo scatolone con la mia roba non è simbolo di delusione, ma di libertà. Lo preparo sotto gli occhi pieni di sconcerto di Maria Giulia.

"Che farai?"

"Ho una possibilità e cercherò di giocarmela."

"Ma perché non fare il tentativo prima? Se va bene, molli qui. Altrimenti resti senza l'uno e senza l'altro. È una pazzia."

"Ieri sono incappata per caso nel film delle Tartarughe Ninja," le rivelo. Maria Giulia appare sempre più confusa. "Ho pensato che per l'intrattenimento – un intrattenimento ai limiti dell'osceno. Stupido. Privo di significato, di gusto, e che te lo dico a fare, di arte – di una certa cifra di prepuberi, di adolescenti e di adulti poco cresciuti, dev'essere girato un budget non inferiore al milione di euro. Con cui si potevano fare delle cose bellissime, in qualunque parte del mondo, magari in una città povera, e dare gioia e piacere a chi non ha niente. E mi è venuto da vomitare, e ho pensato alle schifezze che ha fatto la Fairmont negli ultimi tempi, che anche io ho fatto, a quei film che non fanno ridere, che servono solo a finanziare il malcostume. E ho capito che non voglio fare più parte di tutto questo."

"Ti stai licenziando per le Tartarughe Ninja?" domanda, con un senso della logica che, in fin dei conti, è inoppugnabile.

"Diciamo che negli ultimi giorni ho capito tante cose."

"Emma, non puoi lasciare il tuo lavoro, non adesso! È il caldo che ti ha dato alla testa. Per la questione della Aubegny...

ti do ragione, c'era da indignarsi, ma il gioco sporco a certi livelli è inevitabile. E poi, tutte le compagnie producono anche spazzatura. Purtroppo non c'è altro modo di sopravvivere, la gente la vuole. Con il denaro che ne ricaviamo, finanziamo quelle che tu chiami 'cose bellissime' e che piacciono sempre meno."

"E io ne vedo sempre di meno, di queste cose. Cerco un posto in cui il cinema è ancora bellezza. E se non andrà bene, cercherò un altro sbocco per la mia laurea in Lettere."

"La vedo dura. Ma ti auguro buona fortuna, se è ciò che desideri. Spero di vedere un giorno un film tipo *Lost in Translation* o *Drive*. E di sapere che, dietro, ci sei anche tu."

L'augurio è profondamente bello e sentito, e merita un ringraziamento vibrante. E così, la abbraccio. Io, per indole insofferente al contatto fisico. E mentre mi inebrio con quell'olezzo tremendo che dovrebbe essere ritirato dal mercato al pari di qualunque altra sostanza tossica, penso che Maria Giulia è una persona che ho sempre stimato ingiustamente troppo poco.

E poi arriva il momento di telefonare a Pietro Scalzi.

Con un sospiro fatale e speranzoso faccio squillare finché non scatta la segreteria e lascio un messaggio chiedendo di essere richiamata. Apro l'armadio della mia stanza e guardo l'abito latte-menta. Ricordo, e aspetto.

Aspetto fino all'ora in cui nei paesi anglosassoni già cenano mentre io sono chiusa tra quattro mura, in una prigione d'ansia. Il peso dell'azzardo inizia a gravarmi addosso, ma la sua chiamata riesce ad azzerarlo.

"Mi perdoni, signorina De Tessent. Oggi ero affogato di impegni."

"Certo, capisco."

"Posso aiutarla?"

"Vorrei parlarle, con un po' di calma. E dirle alcune cose cui ho pensato, se vuole ascoltarle."

"Stasera? A cena?"

"Mi piacerebbe."

"Bene. Scelga lei il posto."

Ribatto come se non ci fosse altro luogo possibile. "Ha presente quel nuovo locale in via Oriani?..."

Sì, ecco, la richiesta si è manifestata d'impulso e io stessa sono sorpresa di aver pensato di andare proprio lì. È un po' come portarlo a casa.

L'inaugurazione è stata due giorni fa e se ne dice un gran bene. E io ho bisogno della protezione dei miei glicini per sentirmi dire se quella proposta su cui non ho riflettuto quanto avrei dovuto è ancora valida. E se non lo è, le ragioni per cui non lo è più. E dovrò bere, bere tanto, per accettare di aver perso tutte le mie fiches sul tappeto verde.

Lui è venuto a prendermi in tenuta sportiva estiva su quella moto roboante che fa venir voglia di partire con un sacco in spalla per luoghi come Tangeri, e lì perdersi per poi continuare a viaggiare. Mi ha portata in via Oriani e ha varcato con me il cancello, che nel frattempo è stato riparato.

Il giardino del villino è pieno di lampioni. La luce, i colori, le rifiniture... tutto è artificioso. Tutto è privo di calore. Tutto è studiato per offrire i banchetti migliori, in una sconfortante neutralità che possa piacere alla più ampia forbice di utenti. E questo mi intristisce oltre ogni dire.

"Carino," mormora Scalzi. "Ma è uno spreco che sia un locale così banale."

"Lo credo anch'io," e ancora non mi rassegno.

"Le birre sono mediocri," aggiunge, dopo aver controllato il menu.

"Mi dispiace," replico come se fossi il fornitore in persona.

"Non importa. Piuttosto, sono curioso di sapere cosa c'è di nuovo."

"Come sta sua madre?"

"Bene. Curiosamente, la rimpiange. E dire che non avrei mai immaginato che fosse una così brava sartina."

"Ho risorse inaspettate, specie nel momento del bisogno. E Osvaldo?"

"Sempre affetto da una flatulenza pestilenziale. Ma lei sta tergiversando, signorina De Tessent."

Ha ragione. Chiamo a raccolta il coraggio e dico d'un fiato: "Mi sono licenziata dalla Fairmont. Perché, se la sua offerta è ancora valida, vorrei lavorare per la Waldau".

Sul volto da sicario professionista del Produttore si dipinge un malefico sorriso trionfante.

"E si è già licenziata?" ripete, con tono neutro, mentre l'auto di un tamarro che passa davanti al villino fa tremare la terra con *Maracaibo*.

"Sì."

"Prima di sentire cosa avessi da dire al riguardo?"

"Sì."

"Be', delle due l'una: o lei dava per scontata la mia risposta, oppure lei è pazza."

"Oppure ho capito che, comunque fosse andata, quello non era più il mio posto."

"Su questo sono perfettamente d'accordo."

Ho la sensazione che il Produttore stia traendo un modico sollazzo dal tenermi sulla graticola.

"È stata la faccenda della Aubegny a persuaderla?"

A lui la storia delle Tartarughe Ninja non posso raccontarla. "In parte. Ma anche molte riflessioni." E cerco di spiegargliele in veste nobilitata, senza ricorrere a rettili mutanti e a tutte le altre castronerie che imperversano sullo schermo, e lui ascolta continuando a bere la sua birra.

"Tutto molto interessante. La sua ricerca della bellezza è

quasi commovente. Ed è proprio sicura di trovarla alla Waldau? Pensi al romanzo della Aubegny. Io lo trovo banale, pieno di cliché. Eppure dovrò farne un film. Mi sta a cuore il bilancio al pari dell'estetica. Ho timore di questo suo idealismo, non vorrei deluderla, perché io sono un uomo d'affari, non un artista."

"È una questione di qualità, non di trama. Sono stanca del cattivo gusto, non voglio più contribuire a crearne. Sento che alla Waldau tutto potrebbe essere diverso. Sempre che la sua offerta sia ancora valida. Non intendo pregarla e le chiedo di essere chiaro, e soprattutto repentino, nel dirmi se qualcosa è cambiato."

"No che non è cambiato. Non può cambiare. Dovrei scoprire all'improvviso che lei è una persona radicalmente diversa da quel che credo. E non lo credo." Sono smarrita nel flusso della sua voce. "Domani stesso potrà presentarsi alle Risorse umane. Ma la avverto che lavorare con me non è semplice. Non ho una buona reputazione, ma la realtà è anche peggiore."

Mentre un glicine cade da un rampicante dritto nel mio piatto, sento di provare una gioia bollente, irresistibile. Qualcosa di inedito, di sorprendente. Così mi dico che il bello di una vita che spesso è stata opaca è che mi ha insegnato ad amare la bellezza degli accessi di colore, a saperli fissare nel cuore, dove risplendono vividi, incontaminati.

24.

La tenace stagista e le eterne ripartenze

Se metà della tua vita l'hai trascorsa senza la disponibilità economica che sopperisca all'assenza di un uomo in casa, acquisisci abilità che solo plurimi master in plurime discipline possono offrire. Ma soprattutto, acquisisci la capacità di fronteggiare le emergenze, perché nessuno può farlo al posto tuo.

Per questo, mi vanto di saper mantenere la calma in situazioni di forte stress, perché sono stata plasmata da anni in cui, che mi andasse o meno, ho dovuto imparare a usare anche la chiave inglese se mia madre non era in grado di pagare un operaio specializzato.

E qui di emergenza si tratta.

Ho preparato un panino con marmellata di fichi per le Nipoti e le ho spedite al parco con la tata che puzza di camembert. Ho cercato di tranquillizzare mia madre che ha captato qualcosa ma, per fortuna, nulla di esatto.

Perché la realtà è che l'Orrido Cognato ha scoperto il tradimento di Arabella e, mortalmente ferito nell'orgoglio, se n'è andato via. Per sempre, ha giurato.

E adesso che affronta la perdita, Arabella si è resa conto che di quel disperato bisogno di sentire qualcosa per il visconte di Valmont poteva anche farne a meno. E che adesso, a riempire il suo cuore confuso, è il disperato bisogno che il marito la perdoni.

È tutto un "Senza di lui questa casa è vuota" e "Vorrei tornare indietro nel tempo" da quando ha aperto la porta di casa, pallida come dopo il colera e con gli occhi gonfi e rossi di chi non riesce a smettere di piangere.

Il visconte frattanto continua a chiamarla e in un momento di nervi, vedendo che era lui e non l'Orrido Cognato, mia sorella ha buttato il cellulare dalla finestra. Fortuna che abita al primo piano; mi sono precipitata a prenderlo e ancora funziona.

"Me lo sento. È finita davvero. Non tornerà più e lo vedrò in tribunale," profetizza Arabella. "Come ho potuto essere così stupida, come?"

Sono avvilita, perché vorrei essere intervenuta prima e con più forza, e risparmiarle un'esperienza così dolorosa. Poi mi dico che il destino di ciascuno di noi è segnato da momenti in cui tutto sembra perduto e, a volte, lo è davvero. E nessuno può far niente per impedirlo.

"Dagli tempo. Ti perdonerà."

"Lo credi davvero?" domanda speranzosa, come se si trovasse di fronte a un oracolo che senza fallo le dirà la verità.

"Non ho dubbi," ribatto mentendo, perché in realtà io non lo so. Non so più cosa deciderà il Cognato. Ho provato a chiamarlo, chiusa in bagno mentre Arabella riposava dopo che non aveva chiuso occhio per tutta la notte. Si rifiuta di parlare anche con me, e non ho idea di dove sia finito. L'ho tempestato di messaggi e finora ho evitato di giocare l'asso menzionando le bambine, ma dubito che riuscirò a resistere fino a stasera.

"La verità è che sono pochi gli uomini che possono capire, accettare e perdonare tutto il mondo di emozioni che si muove dietro al tradimento," osserva Arabella, in un momento di lucidità. "E per lo più esistono nei film o nei romanzi."

"E sono pochi anche nei film e nei romanzi," aggiungo, mentre mescolo lo zucchero nella camomilla che le ho preparato.

"Voglio morire."

"E invece non puoi. Fossi sola, saresti libera. Ma hai la responsabilità delle bimbe. C'è stato un terremoto e molto è crollato. Ma qualcosa si è salvato. Dovrai ripartire da lì."

"Non voglio ripartire senza di lui."

Qui ci vuole la delicatezza di tacere. Perché a giudicare ci si impiega due minuti, ma il più delle volte non siamo in grado di comprendere le ragioni altrui, cosa si nasconde dietro una scelta apparentemente sbagliata, quale bisogno del cuore, quale manovra del destino. So soltanto che le lacrime di chi ci è più caro si asciugano con più dolore delle proprie.

Decido di portare le bimbe da nostra madre con una scusa e di fermarmi da mia sorella per la notte, che trascorre inquieta. Arabella dorme per intervalli brevi, poi ricorda che non può riposare con il sonno dei giusti, si risveglia e piange a lungo.

All'alba, il rumore della serratura del portoncino di casa sveglia entrambe, la mano dell'una stretta a quella dell'altra come quando eravamo piccole e dormivamo insieme perché un film ci aveva spaventate. È il Cognato, non troppo sorpreso di vedermi nel suo lato del letto.

"Vi lascio soli."

Non mi ero nemmeno spogliata, ho solo bisogno di sciacquarmi il viso e bere un caffè nero e amaro.

In men che non si dica sono fuori dal loro appartamento, tesa come se aspettassi un responso personale, come se ne andasse della mia stessa vita.

Una notte così non è il miglior preludio al primo giorno di lavoro alla Waldau. Ho appena il tempo di passare da casa, eludere mia madre e le sue insistenti domande su cosa stia succedendo ad Arabella, schivare la Nipote Due già in piedi con un bicchiere di latte che sorseggia con la cannuccia, infilarmi sotto la doccia per quattro minuti, indossare una camicetta pulita e precipitarmi nel quartiere Prati, che non è proprio dietro l'angolo.

La prima faccia che incontro è quella della Boccolosa Gloria, che quando mi vede arriccia le labbra a culo di gallina e saluta con un buongiorno che malcelatamente augura tutto il contrario.

Non mi è chiara la ragione per cui io le susciti tanta antipatia; del resto è evidente che la suddetta indegna creatura è colei che ha trasferito informazioni ingiuriose al Produttore al solo fine di screditarmi. Ma ogni tanto il mondo non gira al contrario e, alla faccia sua, sono qui a guadagnarmi il pane.

"Gloria, mostra alla signorina De Tessent il suo nuovo ufficio," ordina il Produttore, che non mi ha salutata ma deve avermi vista. È arrivato alle dieci, munito di occhiali da sole a goccia obbrobriosamente a specchio degni del peggior tamarro, sovrastando gli impiegati con la sua indecorosa statura, i capelli color cenere appiattiti sulla testa dal casco integrale che lui scompiglia con un gesto istintivo e vagamente seducente.

Sta per entrare nel suo ufficio quando Gloria gli ricorda "l'appuntamento".

Ho la sensazione che, se fosse una zanzara, il Produttore la liquiderebbe con quelle racchette elettriche che si comprano dai cinesi ma, non potendosi abbandonare a questo piacere, si limita a congedarla con una specie di ringhio annoiato.

Il mio ufficio è piccolo, ma almeno non ho il tormento della condivisione. E poi è tutto bianco, essenziale, con una scrivania di betulla, una sedia ergonomica, un computer e una stampante, che è tutto ciò che mi serve.

"Era l'ufficio di Tea," specifica la Boccolosa, con aria superiore. Per me, per cui Tea potrebbe essere chiunque – incluso un cane –, è del tutto inutile saperlo, ma mi sembra che lei butti lì l'informazione come se equivalesse a tirarmi una pietra in fronte, tanto per farmi un bernoccolo.

Mi rintano nell'ufficio dall'enigmatico passato, emergendone solo per prendere una bottiglietta d'acqua al distributore. Ed è lì che avverto una voce inequivocabilmente familiare. Dall'area del mio cervello riservata ai fatti inutili, il ricordo di questa persona si sovrappone all'immagine che ho di fronte.

Poggiato alla parete bianca, intento a sorseggiare un caffè d'orzo da un fumante bicchiere di carta, in una posa studiatamente sensuale ai limiti del ridicolo, c'è l'Attore.

"Tu sei Emma, sì?" esclama, forse un po' incerto. La sua memoria fa cilecca per via di quell'adolescenziale mai perso vizietto dell'hashish, oppure perché io ho cambiato ubicazione?

"In persona. Ciao," ribatto, e a dispetto di me stessa ho anche un che di gentile.

"Che coincidenza! Sono venuto per discutere con Scalzi i termini del contratto."

"Quale contratto?" domando. Devo pur iniziare a farmi un'idea delle cose.

"Forse non lo sai, ma... sarò il protagonista di *Il codice della pioggia*."

Vuol sembrare modesto, ma l'euforia lo riempie di un orgoglio impossibile da celare. Bene. L'attore più cane del momento interpreterà il film tratto dal romanzo di madame Aubegny. Che io abbia sbagliato tutto?

"Ti presento il mio agente," aggiunge poi, mentre un tizio che sembra un becchino mi stringe la mano con un orgoglio del tutto illegittimo.

Nel frattempo, Scalzi si manifesta nel suo splendore, accogliendo l'Attore come se fosse costretto a raccogliere da terra una deiezione canina.

"È una vera gioia per me essere qui oggi," mormora com-

146

mosso l'Attore. Scalzi risponde in maniera sbrigativa, mentre gli fa strada verso la sua stanza. "E poi... che straordinaria coincidenza ritrovare Emma," aggiunge, con un tono che è tutto un sottinteso, gli occhi da tonno sott'olio incantati e sognanti.

Scalzi arresta l'incedere. "Ovvero?"

"Perché tra me ed Emma c'è un feeling... professionale, e non solo... raro."

Ma guarda questo pezzo di cretino, fetente e debosciato, che figura che mi fa fare.

Il Produttore ha dipinta sul volto un'espressione di rassegnazione nei confronti della stoltezza del creato, e sorride ribattendo, flemmatico ma sostanzialmente sfottente: "Uomo fortunato".

E io che credevo che non avrei più visto brutture, mi arrendo all'evidenza che ciò è possibile soltanto nei desideri.

25.

Le tribolazioni della tenace stagista non hanno mai fine

Al termine del primo mese di lavoro alla Waldau mi sento più stressata della volta in cui le Nipoti furono infestate dai pidocchi e li passarono anche a me.

Mi ritrovo a dover confermare che lavorare con Scalzi non è semplice, perché possiede una visione della vita – e, di conseguenza, anche della finzione – tutta sua. E soprattutto, poiché odia il romanzo della Aubegny ma suo malgrado è costretto a farne un capolavoro di film, sta pervenendo a un'interpretazione del tutto personale che nulla ha a che vedere col testo. La tag-line del film potrebbe tranquillamente essere *Sono costretto a farlo, allora lo farò a modo mio*.

"Dottor Scalzi, non credo che madame Aubegny intendesse proprio questo," osservo dopo che mi ha restituito il mio lavoro completamente stravolto perché pieno di correzioni.

"Ma io sì. Anche perché, abbiamo un protagonista... Lasciamo perdere."

"Dottor Scalzi, perché è stato scritturato Walter La Motte per interpretare Maxime?"

"Non le fa piacere?"

"Certo che no. Un cane recita meglio."

"Mi sorprende. Dov'è finito il fantastico feeling tra voi?"

"In realtà, non esiste."

"Che peccato. Meditavo già su come renderlo fruttuoso."

"Non dirà sul serio."

Lui si volta e mi fissa a lungo, prima di replicare, soavemente: "No?". Io taccio, perché a volte quest'uomo inibisce la mia capacità di ribattere. "Be', mia cara signorina De Tessent, sta capendo finalmente a cosa alludevo quando le avevo detto che forse riponeva troppe speranze in me e nella Waldau. Viviamo in un mondo crudele e il cattivo gusto ci domina tutti."

"Non mi rassegno."

Lui riprende a scrivere appunti a margine del testo, uno dopo l'altro, finché il mio lavoro è rivoluzionato.

"Adesso è perfetto," conclude porgendomi le carte, un sorriso tanto irregolare quanto attraente mentre si versa del caffè nero nella tazza.

E quando scopro di essere imbambolata a fissarlo, si sente bussare alla porta.

"Dev'essere Milstein. Resti."

Rudolph Milstein è lo übercapo della Waldau, in visita eccezionale presso la sede italiana al fine di supervisionare i preparativi per la preproduzione di *Il codice della pioggia*.

È un individuo signorile e tonico di cui ho difficoltà a stabilire l'età. Delle due l'una: o è un giovane prematuramente ingrigito oppure è un quarantenne che porta bene i suoi anni. Ha un sorriso freddo, le mani sudate e una fede luccicante all'anulare.

"Signorina De Tessent, conosce Rudolph Milstein?"

Nego col capo, porgendo la mano.

"Rudolph, Emma De Tessent è con noi da poco. Un piccolo e subdolo genio dell'editing."

Da tenace stagista a piccolo e subdolo genio dell'editing è un gran passo avanti.

"Molto lieta."

"Chiamami Rudolph," ribatte il Boss.

Il Produttore ha l'aria sbrigativa. "Signorina De Tessent, ha poi sentito gli sceneggiatori? Abbiamo già la data di inizio riprese e sono in ritardo."

"Certamente, dottor Scalzi."

La verità è che l'ultima versione della sceneggiatura è ancora da rifinire e lui, che è un ossessivo compulsivo delle limature, non ne sarà contento. Per anticiparlo sono intervenuta massicciamente e sollecito ogni giorno quei poveri disperati, ma più li sollecito, più il testo accumula sbrodolature.

"Bravissima."

È arrivato il momento di congedarmi e mi avvicino alla porta. Ma poiché la mefistofelica Gloria è sempre in agguato, la apre sbattendomela sul naso.

"Oddio, Emma!" esclama.

Ed è l'ultima cosa che sento, prima di perdere i sensi per il dolore.

Nell'epoca in cui avrei preferito vivere mi avrebbero portato dei sali. Invece oggi il mio risveglio è sollecitato da qualche piccolo schiaffetto sulle guance da parte del Produttore. Un'odiosa pulsazione accompagna la sensazione che sul mio naso si sia abbattuta una tragedia e io mi sento piuttosto confusa.

"Portiamola in ospedale," dice Scalzi. Milstein, che ha assistito al mio piccolo incidente, sembra imbalsamato.

"Il naso è tremendo," aggiunge Gloria, e bisognerebbe capire se ha notato che sono di nuovo perfettamente vigile. Più o meno.

"Sto bene," dico accorgendomi però di sentire in bocca il sapore ferruginoso del sangue.

"Chiamale un taxi, Gloria. È meglio se se ne torna a casa."

"No, no, posso lavorare."

"No che non può. Se se la sente, torni domani. Non abbia fretta."

Se non altro Scalzi è sensibile ai problemi di salute. Manzelli mi avrebbe rispedita alla scrivania a lavorare fino a notte fonda.

Fatto sta che il medico del pronto soccorso – ci sono andata, alla fine, perché il dolore era davvero troppo – mi rispedisce a casa con la diagnosi di frattura del setto nasale, con due tamponi nelle narici che non potrebbero essere più fastidiosi e una prognosi di venti giorni.

Ma poiché non a caso mi chiamano la tenace stagista, non sgombrerò il campo così facilmente, per un banale sfracellamento del naso, che tanto non era bello neanche prima.

"Tesoro, c'è un limite anche allo zelo. Hai bisogno di un po' di riposo," si esprime sulla questione mia madre, all'annuncio che tornerò al lavoro come nulla fosse.

"Come diceva sempre la nonna De Tessent, non c'è riposo per gli uomini liberi; il riposo è un'idea monarchica," osservo. Non so perché, ma il riposo mi mette a disagio. Come se sentissi che il resto del mondo va avanti e io invece sono inutilmente ferma.

"Ah be', se lo diceva lei che di monarchia se ne intendeva…" ribatte mia madre con aria critica, perché non ha mai nutrito particolare stima nei confronti delle radici nobiliari del marito. Dopotutto, non smette mai di ricordare che i De Tessent, principi della Fuffa, devono la loro fortuna a una balia.

Correva infatti l'anno 1775 quando il trisavolo De Tessent, un baronetto delle brughiere dello Yorkshire, ebbe una figlia (l'ennesima femmina) dalla moglie che morì di parto e chiamò a servizio come balia una donna che aveva dato scandalo mettendo al mondo un bimbo senza essere sposata. Era una donna bella e tragica oltre ogni dire. Il suo bimbo era morto poche settimane dopo la nascita e non l'aveva ancora sepolto quando Sir John Edward Morton De Tessent la fece prelevare da una lussuosa carrozza e le affidò l'ultima nata.

Alloggiò la donna, che si chiamava Rose, vicina alla nursery e lei iniziò presto a occuparsi anche delle altre bimbe. E poiché l'avo De Tessent era un tipo affettuoso con le sue piccole e faceva loro visita molto spesso, a furia di vedere Rose ogni giorno, se ne innamorò. E trascorso qualche tempo la bella Rose ebbe presto un nuovo bambino, che il baronetto riconobbe e a lui donò tutti i possedimenti nella chiassosa Italia. Quel bambino figlio di una peccaminosa balia è dunque il capostipite della nostra stirpe. E la sua fortuna è stata consumata mattone dopo mattone da una lunga successione di oziosi al punto che l'ipoteca sulla nostra casa l'ha estinta il buon Sinibaldi prima di morire – e questo l'ho appreso proprio da poco. Una casa che era di trecento metri quadrati e che mia madre ha dovuto vendere stanza dopo stanza, e adesso di stanze ne sono rimaste due – la mia e la sua.

"Hai sentito Arabella?" domanda poi mia madre, l'aria preoccupata.

Mia sorella le sta tenendo nascosta la tremenda evoluzione del suo matrimonio che, per una concezione antidiluviana della fedeltà propria dell'Orrido Cognato (l'uomo può tradire e deve essere perdonato, la donna né l'una né men che meno l'altra cosa), è naufragato nei mari della disperazione e della solitudine. Michele se n'è andato e non vedo come Arabella possa continuare a tenere nascosta la cosa, specie alla mamma che quando si tratta di captare la nostra infelicità possiede poteri sovrannaturali.

"È molto presa dal lavoro" butto lì.

"Ho paura per lei."

"Perché?" indago.

"C'è qualcosa che non va con Michele."

Sciorino una serie di scuse, e spero che l'indeterminatezza delle mie affermazioni sia giustificata dal recente trauma facciale, che si sa che quando si prende una botta in testa si obnubilano un po' i sensi.

"Cos'ho sbagliato per meritarmi le bugie," commenta senza punto di domanda, senza vittimismo, solo incapace di capire il perché certi fatti non possano che diventare piccoli grandi segreti. Eppure, è quanto già accaduto anche a lei, né più, né meno.

26.

La tenace stagista e *Il codice della pioggia*

Passano i giorni, dunque le settimane, e quindi i mesi.

Passano i momenti di gioia, passano quelli di dolore, tutto passa, e qualche volta resta la sensazione di dubbio che le cose siano successe realmente o che, al contrario, le abbiamo solo sognate.

Arabella sta ricominciando a vivere senza Michele e, nonostante le Nipoti si comportino come in quei film americani con le gemelle cospiratrici affinché i genitori si riconcilino, l'Orrido Cognato è irremovibile e ogni rifiuto scava una voragine nel povero cuore di mia sorella.

Il mio naso è guarito, riportando una gobba che lo rende un po' radical chic ma senz'altro meno bello.

"Signorina De Tessent."

A fine giornata, il Produttore mi ha sorpresa proprio mentre guardavo la gobba con Photo Booth. Non mi rassegno. Con la tredicesima mi faccio una rinoplastica.

Tra le mani stringe il copione, quello conclusivo, da lui approvato – quindi definitivo – che poco ha a che vedere con il romanzo della Aubegny di cui mantiene il titolo, i personaggi e un'idea di fondo, perché per il resto il Produttore ha trasformato il suo orrendo bestseller in un copione di una delicatezza sublime. E nonostante l'attore protagonista che si ritrova sul groppone, il film beneficia di un equilibrio pieno di grazia in cui ogni cosa è al suo posto, radiosa, semplicemente perfetta. Ha pressato gli sceneggiatori oltre il limite della fatica, ma ognuno di loro può essere fiero del risultato finale.

"Lei è consapevole della deviazione del nostro percorso?" mi chiede, dopo un rumoroso sospiro.

"È la ragione per cui un libro pessimo potrà diventare un film splendido."

"Signorina De Tessent, si ricordi che noi siamo una minoranza. Il libro è stato amato così com'è da milioni di lettori in tutta Europa. Potrebbero dirci che noi lo abbiamo oltraggiato. Chi avrebbe realmente torto?"

"Gli altri."

"Naturalmente. Posso invitarla a cena?"

"Purtroppo... ho già un impegno."

Stasera prenderò un aperitivo con Tameyoshi Tessai e poi andrò da Arabella e dalle Nipoti carica di dolci, perché hanno bisogno di coccole e compagnia.

"Capisco. A domani, allora." Si stringe nel cappotto di tweed, un'occhiata rapida all'imbrunire oltre la finestra picchiettata dalla pioggia. Di profilo è ancora più scavato e spigoloso, eppure è un uomo luminosissimo.

Il fragore di un tuono erompe nella piccola stanza.

"Promette tempesta. Passo a prendere mia madre e Osvaldo prima che s'inzuppi come uno spazzolone," dice a bassa voce parlando tra sé, lo sguardo fisso oltre il vetro, il mio fisso su di lui.

Che nostalgia che sento per quelle settimane in cui la mia vita aveva preso una piega tanto diversa, come una parentesi di distensione enucleata da una lunga sequenza di pensieri sempre uguali a loro stessi.

A conferma delle sue parole, le gocce picchiettano il vetro sempre più forte, il rumore dell'inverno, il codice della pioggia. Resta assorto, come se oltre quel vetro cercasse risposte, e infine saluta con cordialità inappuntabile. Poco prima di varcare la soglia, una sola breve aggiunta, pronunciata con tono incolore:

"Non si bagni stasera, signorina De Tessent. A domani".

Tameyoshi Tessai si è dotato di auto con autista e passa a prendermi sotto gli uffici della Waldau.

A bordo fuma il sigaro e porta il panama. Sembra stanco, stanco di una stanchezza primordiale, come stanco per una lunga lotta.

"La trovo magnificamente. Il nuovo lavoro l'ha ringiovanita. Ma ha fatto una plastica al naso?"

"No, l'ho solo rotto."

"Le sta bene, l'irregolarità le conferisce intensità."

"E lei?"

"Ho finito il mio romanzo. Sono parecchio felice."

"E io sono impaziente di leggerlo."

"È ovvio che non possiede lo smalto di *Tenebre di bellezza*. È un libro sul dolore." Allegria. Tessai ha voglia di continuare a parlarne. "Sull'importanza del dolore nella nostra vita. Sull'errore che commettiamo allorché lo rifiutiamo."

"Be', credo sia istintivo farlo."

"Mia dolce Emma, non ha notato che una vita gaia, priva di ostacoli, ci rende infinitamente più aridi? Pretenziosi, direi. Incapaci di capire, di perdonare. È solo il dolore a renderci persone migliori. Ad aprire la nostra anima al flusso di tutto ciò che è veramente buono."

C'è una serenità nuova nel suo sguardo, molto lontana da quell'insoddisfazione nevrile che avevo percepito quando l'ho conosciuto ai funerali del Sinibaldi.

"Ho voglia..." prosegue poi, con una lunga pausa come se scartasse mentalmente una miriade di opzioni. "Ho voglia di uno Spritz."

"E Spritz sia!"

"Mi racconti del suo nuovo lavoro."

"Non saprei da dove cominciare. Credo che tutto ruoti attorno a lui... al Produttore, intendo. Il lavoro è lui."

"Sono perplesso."

"Mi spiego meglio. È stata una scelta precisa, di credere in ciò che lui fa, in come lo fa."

"Scommetto che di *Tenebre di bellezza* farebbe un film indimenticabile," osserva con sarcasmo, ma io scelgo di rispondere con compiaciuta serietà.

"Può starne certo. Ma i diritti continuano a non essere in vendita. O sbaglio?"

"Non sbaglia. E non lo saranno mai, ne sono sempre più convinto."

Ah. È proprio una battaglia persa, ma mi sono talmente abituata al rituale della sua compagnia che non mi importa neanche più. Non realizzerò mai il film che sogno da quando ho letto quel suo incantevole romanzo, ma potrò sempre prendere uno Spritz con lui e ascoltarlo. "Mi dica di più."

"Per esempio, ha trasformato un libro mediocre in un copione così..."

"Così?..."

"Diverso."

"Ma questo non è un bene. L'autore non ne sarà contento."

"L'autore, anzi l'autrice, è stata strapagata e il lavoro conclusivo è mille volte migliore del suo romanzo. Dovrebbe solo essere grata." Mi accorgo soltanto dopo aver parlato di averlo fatto con arroganza.

Tessai mi fissa con severità. "Non sono d'accordo su nessuna delle parole che ha appena pronunciato. Ma sono stanco e non voglio fare polemica. Con lei, poi. Sa che la considero alla stregua di una nipote?"

"Lei ha nipoti?"

"No. Sono solo al mondo. Il mio unico affetto, l'ho perso."

"Vuol parlarmene?" chiedo, curiosa e incoraggiante.

"Non oggi. Ma se volessi parlarne, vorrei farlo proprio con lei."

"Ne sono lusingata."

"Mi dica piuttosto del romanzo di cui si sta occupando."

"Si intitola *Il codice della pioggia*."

"Non lo conosco. Io leggo solo libri di autori già morti, per una precisa scelta. Ma torniamo a lei. Sintetizzi a mio beneficio la storia di questo libro di cui si è fatto un gran parlare."

Il codice della pioggia

Maxime Calvet è un funzionario del Parlamento europeo che vive e lavora a Bruxelles. Un uomo solitario, che conduce una vita spigolosamente routinaria. Ha una figlia che vive con la madre che lo ha piantato, incinta, dopo appena sette mesi di matrimonio. Probabilmente la bambina non è nemmeno sua figlia, ma lui l'ha riconosciuta ugualmente.

A bordo di un volo di lavoro diretto a Tel Aviv, nella tasca del sedile di fronte a lui, Maxime trova una sequenza di numeri su ogni pagina della rivista della compagnia aerea. Numeri apparentemente privi di significato poiché, pur scervellandosi a far quadrare i conti, le cifre in serie non realizzano alcuna operazione algebrica. Sembrano numeri scritti a caso da una grafia femminile. Maxime è incuriosito. Porta la rivista con sé durante il viaggio e quei numeri diventano un'ossessione: è convinto che celino un qualche codice.

Rientrato a Bruxelles, Maxime riceve la figlioletta che, guarda caso, è un piccolo genio dei rompicapi – proprio come il più caro amico di Maxime, sempre guarda caso, o anche no perché il povero Maxime è stato tradito proprio da lui. Ed è però la piccola Odette a decriptare la sequenza numerica e il risultato è una disperata richiesta di aiuto scritta da una tale di nome Naima Courchavon.

Maxime si lancia in una lunga e complessa indagine privata, in un percorso irto di ostacoli e difficoltà, fino a scoprire che Naima è una ragazza belga per metà siriana, rapita dallo zio (un cattivone filo-terrorista) per portarla ad Aleppo e usarla come pedina di scambio con il governo per far liberare un jihadista nascosto a Bruxelles. A nulla vale il tentativo di coinvolgere le autorità. Solo un'interprete dell'Ufficio affari esteri sembra ascoltarlo – e guarda caso è belladolcesensibile. E ovviamente, Maxime è l'unico a poter salvare Naima...

"Puah," commenta Tessai, la bocca distorta da una grossa caramella alla liquirizia. "Un gran guazzabuglio di banalità tutte molto improbabili... Che c'entra la pioggia, poi?"

"Non l'ho capito. Magari è una metafora. Le sembrerà strano, ma forse ne verrà un buon film."

"Emma, ho finito di trovar strane le cose."

"Con una storia del genere poteva uscirne un banale film d'azione pieno di colpi di scena e cliché. Invece il dottor Scalzi – be', e nel mio piccolo anch'io – è riuscito a ricavarne tutto lo spirito di tragica attualità con toni, oserei dire, poetici e intimistici." Devo darmi una regolata. Ormai è chiaro anche a me che quando si parla di Scalzi divento più invasata di una groupie. "Vede, signor Tessai, ho capito – e forse l'ho capito troppo tardi – che per me il cinema non può essere che poesia. Per tutto il resto... non vedo il senso di esistere."

"Sia più flessibile nei suoi giudizi, Emma. L'arte non è solo questo." Riesce appena a concludere prima che un accesso di tosse lo interrompa. Poco dopo l'auto si ferma. "Oh, siamo arrivati. Anneghiamo nello Spritz e non pensiamo più a niente."

27.

La tenace stagista si specchia nel passato

Cos'è allora l'arte? Bella domanda. Me ne fecero una simile all'esame di Letteratura comparata, e infatti portai a casa il voto più basso di sempre.

Di mattina, al lavoro, ci penso ancora. E ripenso a molte
delle parole di Tessai. Finisco il mio caffè, che profuma di
caldo e di buono e chatto via WhatsApp con mia sorella, che
si compiange perché dovrà partecipare a una festa da sola. E
mi chiede – quale esperta in materia – come si fa.

E: Come si fa cosa?
A: Cioè arrivo, entro... sono sola... che faccio?
*E: Vai al buffet, lì attacchi bottone con qualcuno. Quando
non trovi nessuno con cui parlare fingiti assorta al telefono,
oppure vai in bagno.*
A: Ero abituata ad andare ovunque con Michele.
E: Cambia abitudini.
A: Sei un mostro.

"Emma, di corsa in sala riunioni." Gloria non ha nemmeno bussato ed è già andata via, come se inalando l'aria della
mia stanza fosse a rischio di contrarre il vaiolo.

In sala riunioni tutti i colleghi hanno già preso posto. C'è
solo un volto nuovo. Appartiene a una donna bella, molto

bella, elegante, vissuta. Occhi verdi, con ciglia lunghe e foltissime e capelli tendenti al rosso, lunghi, annodati in una cofana da zitella primi del secolo. Il suo naso è ingiusto con lei, ma ormai io sono l'ultima a poter parlare.

La riunione è incentrata su *Il codice della pioggia*. Si parla di budget – quello destinato alla scrittura è esaurito – e sulla necessità di trovare nuovi sponsor.

Tutti prendono appunti, meno la Sconosciuta.

"Le sceneggiature sono ultimate?" domanda. Ha una voce da contralto, un po' impostata.

"Da tempo."

"Tu escludi di dover apportare delle modifiche per avvicinarle di più al testo originale." Non lo chiede, lo constata.

"Pensi sia necessario?" domanda lui, eludendo il suo sguardo.

"Dico solo, Pietro, di far molta attenzione all'ultima versione della sceneggiatura."

"Attenzione?"

"Attenzione," ripete lei, sostenendo il più gelido degli sguardi.

La riunione termina rapidamente.

Mi costa un grande sacrificio chiedere lumi a Gloria, che risponde piena di segreto e sadico piacere: "Come chi è? È Tea, naturalmente".

Alla Waldau la mia stanza la chiamano ancora l'"ufficio di Tea".

Forse la suddetta Tea ha lasciato un ricordo indelebile oppure sono io che non riesco a uscire dall'anonimato.

Si occupava di acquisizioni e di diritti. Di più non sono riuscita a sapere, e l'avrei anche cercata su Google – perché non sono tanto sprovveduta – ma non conosco il suo cognome.

Poi mi si accende la lampadina dell'astuzia e digito "Tea" e

"Waldau" e, mentre Google impiega 0,54 secondi per 86.000 risultati, proprio in quello spazio di tempo fulmineo il Produttore entra nella mia stanza e mi invita a cena – di nuovo –, e di no io non posso proprio più dirlo perché che-cavolo-ho-una-mia-vita-anch'io.

E così... non ho letto i risultati della ricerca ma sono a cena col Produttore. Che dimostra comprensione delle umane fissazioni perché, nonostante la birra non gli sia piaciuta, mi riporta nel mio villino. I glicini purtroppo sono sfioriti e fa troppo freddo per mangiare in giardino. Ma all'interno – in quella che, se fosse casa mia, sarebbe la sala – c'è il camino acceso, che è una delle cose che più amo al mondo. Un'altra delle cose che più amo è il rumore delle braci che sfrigolano. E se a tutto ciò si unisce il Produttore, come può questa cena non essere indimenticabile?

Peccato stasera sia umbratile; anzi, ha proprio l'aria di chi è reduce da un impareggiabile sbattimento e ritengo fondatamente che il merito sia tutto di questa fantomatica Tea.

Ma poiché resto convinta che la discrezione sia la più ammirevole qualità di una gentildonna, mi astengo dal rivolgergli una domanda che del resto sarebbe anche lecita, sotto le mentite spoglie dell'informazione di servizio del tipo: "Chi era la nuova collega?".

"Da lunedì prossimo mi aspetto una sua assidua presenza sul set. Il mio timore è che il regista e gli attori facciano di testa loro ed è necessario vigilare. Non possiamo permetterci che banalizzino il testo o che, peggio ancora, lo stravolgano convinti di far bene perché il loro Bene è sempre il Male."

"Dottor Scalzi, sarò la guardiana della finezza lessicale della nostra sceneggiatura."

"Non avrei saputo trovare parole migliori. I miei ravioli sono salati. I suoi?"

"Lo chef non è in giornata."

"Di questo passo questo posto fallirà."

"Che peccato."

"Niente affatto. Di questo villino si potrebbe far un uso migliore."

"Per esempio?" gli chiedo, sinceramente incuriosita.

"Viverci."

Eh, mio bel Produttore, che scoperta che hai fatto. Ma quest'affermazione, pur se all'apparenza banale, instaura una sintonia speciale e mi ritrovo a confessargli tutti i sogni ispirati da questo villino.

"Vede... io ho sempre desiderato vivere in un posto simile. Potrà pensare che nutro sogni insulsi, ma tant'è. Così, quando ho saputo che era stato venduto, in qualche modo ho sentito... come se mi fosse stato rubato un sogno. Ancor di più poi sapere che sarebbe diventato un ristorante. Poi però ho capito che almeno così avrei potuto venirci ogniqualvolta l'avessi desiderato, e ho imparato ad apprezzare questo piccolo piacere. Diversamente, sarebbe appartenuto a qualcun altro e io non avrei più potuto metterci piede, e la cosa mi intristiva ancora di più."

"Chi può dire quale sia il valore di un sogno? Ognuno custodisce i propri. Forse lei resterebbe sorpresa di conoscere il mio sogno insulso."

"Vuole dirmelo?"

"Perché no? So che lei capirebbe." Si versa altra birra, si abbandona a un sospiro lungo e anche un po' infelice, e infine apre la porta blindata del suo cuore: "Vorrei essere una persona da cui essere felici di tornare".

Il sogno insulso del Produttore cementifica un silenzio sconfortato. Perché in realtà è un sogno che appartiene anche a me. Non sono una persona così. Hanna lo è, tant'è che Carlo è sempre tornato da lei in quei quattro tormentati anni.

"Sa, dottor Scalzi, io voglio credere che non sia un problema nostro. Cioè non siamo noi, individualmente, a essere persone da cui si è felici o meno di tornare. È un problema altrui se – inspiegabilmente – non provano questa gioia. Esiste certamente al mondo qualcuno che sarebbe ben felice di tornare da noi."

E subito dopo averlo detto, sento con forza che proprio io sarei tanto felice di tornare da lui.

"Signorina De Tessent, a volte vorrei chiamarla Emma, darle del tu. Ma poi mi sembra come di sciupare... ecco, di sgualcire le nostre conversazioni."

"Allora continuiamo a darci del lei. A me non dispiace." Fa tanto Austen.

Lui finisce la sua birra e fa un cenno al cameriere per scegliere un dolcetto.

"Crede che Tea Milstein abbia ragione sulla sceneggiatura?"

"È senz'altro un rischio esserci discostati tanto dal soggetto originale. Ma dato il risultato credo sia un rischio che val la pena correre. Dottor Scalzi... chi è Tea Milstein?"

Lui risponde con perfetta indifferenza.

"Tea lavorava da noi. Poi ha sposato il capo e per un po' è stata all'estero. Lei e Milstein vivono a Oslo, ma ho la sensazione che tornerà molto spesso a Roma, nei nostri uffici. E stavolta in qualità di First lady."

Magnifico Produttore, c'è di più, c'è sicuramente di più, ma tu te ne guardi bene dal raccontarmelo.

"E per lei... Tea era un'impiegata come tutte le altre? E niente di più?" E così l'ho chiesto, ne pensi quel che vuole. Non riesce più a essere indifferente quando risponde: "No. Non come tutte le altre. Era molto, forse troppo di più. Perché certe cose non si dovrebbero mai mescolare, lo sanno tutti, poi però accade e pensi *Per me sarà diverso*. Ma non lo è per nessuno. Le cose che per noi sono più importanti, che sono tutto, non dovrebbero mai incrociarsi, *mai*, altrimenti si inquinano e finiscono malissimo, e non ti resta più niente".

Il Produttore forse ha un po' esagerato con la birra e continua a ruota libera.

"Qualunque sia il tipo di lavoro, che sia manager o operatore ecologico, al primate uomo interessa solo il potere. Quanto ci starebbe bene un'altra bevuta su questa affermazione."

"Anche a Tea?"

"Soprattutto a Tea. Crème brûlée?"

"Dottore, le ricordo che la volta scorsa non le è piaciuta."

"Ha ragione. Allora scelga lei. Io sono pigro."

Scelgo una cheesecake al cioccolato bianco e all'arancia, che ha un detestabile sapore poco genuino. È davvero un tale peccato che in un luogo così bello si mangi in modo tanto dozzinale...

Il telefono del Produttore riceve nel frattempo messaggi di continuo, che lui guarda e non guarda, ma che non mancano di influire sul suo umore. Alla fine paga il conto e mi riporta a casa, musica in sottofondo a coprire gli strati di silenzio ma inefficace a cancellare le paure del mio cuore, che io mi stia innamorando di nuovo e, di nuovo, senza che io sperimenti la gioia di essere corrisposta.

28.

La tenace stagista e i problemi di budget

Il Consiglio di amministrazione della Waldau ha sede a Oslo, e dal proprio solido vertice Rudolph Milstein issa le bandiere in vetta alle aste. Come in tutti gli ambienti gerarchici, il rispetto delle regole consente la sopravvivenza. Chi dimentica questo dettaglio sovverte l'ordine.

E ne paga le conseguenze.

E dire che la giornata era anche iniziata bene, perché l'Orrido Ex Cognato aveva mandato un messaggio a tratti nostalgico ad Arabella e lei era felice come non la sentivo da secoli. In più mia madre aveva trovato al mercatino dell'usato a un euro un'edizione fuori commercio di uno scabrosissimo Harmony che cercavo da anni, e quindi stasera – dato che per di più piove – nessuno mi avrebbe tolto il mio party privato col divano, sarebbe bastato passare da un negozio di alimentari e comprare un pacco di biscotti in offerta a 0,99 centesimi pieni di cioccolata e grassi saturi.

Al posto di essere felice al pensiero della serata in compagnia di me stessa, sono barricata in ufficio, in concentrato silenzio, spaventata e triste. Pare infatti che Rudolph Milstein in persona abbia chiesto l'esautorazione del Produttore quale Chairman e Chief executive officer della sede italiana della Waldau. Motivo: da troppo tempo, dicono, il Produttore fa di testa sua. E adesso, ciliegina sulla torta, ha esaurito il budget destinato alla scrittura di *Il codice della pioggia* pervenendo a un risultato troppo distante dal soggetto originale e – manco a dirlo – inviso a madame Aubegny, ai coniugi Milstein e a tutto il Cda della società, e divenendo persona non più gradita alla Waldau.

In un clima che prelude la tragedia, Gloria cerca sostegno persino in me. "Dobbiamo essere pronte al peggio. Se Milstein vuole la sua testa, l'avrà."

Esiste un sottile filo rosso che collega i Milstein a Scalzi e a tutto ciò che sta succedendo. Ci arriverebbero anche le mie smaliziate Nipoti.

"Ha tutta l'aria di essere un rancore personale," azzardo.

"Certo che lo è."

E poi torna silenziosa, come se si fosse morsa la lingua, e io sono sempre più curiosa e in ansia. Non mi resta che vincere la ritrosia e chiedere.

"Milstein odia Scalzi. Per Tea. È così?"

Gloria ha l'aria di chi deve ammettere una verità che si è costretta a negare fino alla morte.

"Tea e Pietro hanno convissuto per dieci lunghi anni. Ed erano affiatatissimi. Credimi, non esisteva coppia più appagata – o almeno, a vederli dall'esterno. Sembrava che non desiderassero niente di più di quello che già avevano."

Questa descrizione mi toglie il fiato e lascia germogliare nel mio cuore i neri fiori dell'invidia. E a quanto pare, stando al livore che agita e increspa il tono di voce di Gloria, non sono la sola. "Ma poi, è successo che Tea ha conosciuto a una convention Rudolph Milstein, il nuovo presidente. E nel giro di qualche settimana ha lasciato Scalzi e la sede italiana della Waldau. E se n'è andata a Oslo con tanti cari saluti."

"E quando è successo tutto questo?"

"Tea ha sposato Milstein lo scorso marzo."

Io sostenni il colloquio in maggio. Quindi era da poco passata la tempesta – ammesso che in effetti fosse passata.

"Ma la mia sensazione," aggiunge, con aria circospetta e anche un po' perfida, "è che Oslo sia una città troppo fredda per una come Tea... E questo a Milstein non piace."

Dunque, dietro una manovra che teoricamente è solo disciplinare si celano intenti personali, il che è un po' ciò che io stessa avevo ipotizzato. Ma davvero Rudolph Milstein è talmente gretto da voler silurare l'ex compagno della moglie per mera gelosia? O è uno screzio intellettuale? O entrambe le cose?

So soltanto che vorrei bussare alla stanza del Produttore e fargli *pat-pat* sulla spalla. E dirgli che lo seguirei nella sua missione artistica fino alla morte. Naturalmente non troverò mai il coraggio di farlo. Con un pretesto mi attardo in ufficio, sperando di incontrarlo, ma per conto suo il Produttore non schiude l'uscio della sua tana ove immagino stia leccandosi le ferite in grande solitudine. O magari sta solo lavorando, e tutto questo smottamento gli è (quasi) indifferente.

Non lo saprò mai.

Uscita dal portone mi scontro con la sera, perché – che mi piaccia o no – sta finendo anche l'autunno e le giornate sono sempre più brevi, anche se mi sembra trascorso un giorno da quando alle nove la luce continuava ad avvolgere le cose.

Non trovo un posto in cui comprare i miei biscotti, né una Pepsi, né un gelato, né una candela. Il party con me stessa manca di elementi essenziali.

Ma la fortuna non mi ha davvero abbandonata: i biscotti li ha comprati mia madre, che ha già acceso la nostra stufetta a pellet e mi ha preparato una copertina di pile che profuma di ammorbidente. Mi dà un bacetto sulla guancia e mi augura buona serata.

E dopo ciò, niente può andare male.

29.

La tenace stagista è una sorella felice

"Zia... parlo piano perché non voglio farmi sentire." Al telefono è Maria, la Nipote Uno. "Mi sono nascosta in bagno."

"Che è successo?" le domando in lieve allarme.

"Non lo so. Qualcuno ha suonato alla porta e ha dato qualcosa alla mamma e lei adesso piange."

"Dov'è Valeria?"

"A scuola di danza. Io penso che mamma si è dimenticata di andare a prenderla."

"Sto arrivando."

Subito dopo aver riattaccato, inizio a chiamare Arabella ma sembra remotamente irraggiungibile come se avesse lasciato il suo cellulare sotto strati di neve. E molto probabilmente Maria non ha riattaccato il cordless di casa. Come risultato, non riesco a capire se qualcuno si è degnato di andare a raccattare quella povera martire della Nipote Due o se la stessa giace abbandonata sul marciapiede. E già scenari di terrore si prospettano nella mia mente, il cuore rulla e romba mentre esco dall'ufficio senza nemmeno avvisare e alle mie spalle sento Gloria commentare che non si ragiona così.

La scuola di danza di Valeria si trova a circa tredici chilometri dal mio ufficio, che con il regime di traffico che affligge la Capitale è un tragitto infernale. E quando arrivo, trovo la mia piccola ed emotiva Nipote Due da sola, in sala d'attesa (almeno non sul marciapiede, perché avevo chiamato la sua insegnante per avvisare del ritardo).

A vederla così, con il suo tutù rosa, lo chignon e lo zainetto sulle spalle curve, non sembra aver sofferto della dimenticanza. Gioca con i suoi sticker ed è semplicemente sorpresa di vedermi.

"Zia!"

"Pulcetta," le dico, stringendola forte come se me la stessi riabbracciando dopo una prolungata lontananza. "Andiamo a casa."

Nel frattempo tempesto di messaggi mia sorella e, scese le scale dell'edificio, me la ritrovo davanti al portone.

"Oddio, Emma! Fortuna che c'eri. Tesoro, scusami!" dice abbracciando Valeria che si prende la seconda stritolata del pomeriggio.

"Fortuna che tua figlia di cinque anni ha più sale in zucca di te!"

"Non è come pensi. Stavolta ho una validissima ragione! Ci vediamo a casa, dai, vieni subito!"

Valeria segue la madre e io faccio il tragitto da sola, incartata nei miei stessi pensieri, considerando che mia sorella è troppo sotto pressione per aggredirla come ho appena fatto. E medito di scusarmi, ho già pronte le parole, quando suono il campanello e mi apre l'Orrido Cognato, che ha l'aspetto sciamannato di chi ha consumato momenti di imprevista lussuria.

"E loro dove sono?" chiedo.

"Maria è dalla vicina. Ara... è corsa a prendere Valeria, era in ritardo..."

"Lo so bene!" esclamo, interrompendolo. Sta per scapparmi un *E tu cosa ci fai qui*, ma poi mi dico che forse forse...

Nel frattempo Arabella emerge dall'ascensore con le due figlie, e adesso che la guardo bene ha la stessa aria vagamente abietta del marito (o ex marito? O marito? O, a questo punto, amante?).

"Be'… vi lascio allora," dico con voce non troppo ferma.

L'Orrido Cognato ne sembra lieto, ma le Nipoti si attaccano alla gonna. "No, zia, no!! Compriamo le patatine e mangiamole sul divano!!"

Lui, che è un salutista, vorrebbe non aver sentito. Al che Arabella ha pronto il rimedio – e a questo punto non ho più dubbi sull'epilogo della faccenda, perché tanta fretta di allontanare le figlie mia sorella non l'aveva mai avuta.

"Piccole, volete andare a trovare la nonna insieme alla zia Emma? Preparo i pigiami in un secondo."

Le Nipoti cinguettano di gioia e senza che io abbia avuto neanche il tempo di dire *Ognuna di loro ha già un cambio da noi, non occorre!* siamo già tutte in auto, lasciando i due fedifraghi a godere delle delizie del perdono.

30.

Il cuore piangente della tenace stagista

In una notte di ottobre attraversata da grosse nubi, una notte di uno strano color ottanio con stelle piccolissime e sfavillanti, una notte lunga, una notte cattiva, una notte ladra, una notte che odora di foglie pestate, di asfalto fresco, una notte solitaria e ingiusta, in una notte in cui io dormivo come sempre, senza sogni, senza incubi, in questa notte
Tameyoshi Tessai è morto.

Avrei voluto salutarlo.

Era malato da tempo, aveva rifiutato di curarsi ed è arrivato in ospedale che non c'era proprio più niente da fare.

Chissà se qualcuno ha inumidito le sue labbra con un po' d'acqua perché non avesse sete e se qualcuno, ancora più avvedutamente, ha messo un pugnale sul suo petto per cacciare gli spiriti maligni.

Il suo agente e i cugini milanesi hanno organizzato una veglia funebre e poi sarà cremato. Nessun Dio, nessuna cerimonia. Pare che lui desiderasse così.

Ho messo un abito chiaro, perché lui ha chiesto luce e sobrietà e ho raggiunto quella sua bizzarra villa nel bosco. Lui è in un feretro di betulla, è vestito di bianco, sereno.

I giornali gli hanno riservato titoli lusinghieri, ma a lui non sarebbero piaciuti. Mi è giunta voce che la casa editrice del compianto Sinibaldi, adesso che non ha più una persona perbene al vertice, accelererà la pubblicazione del suo ultimo romanzo così com'è dato che pochi eventi garantiscono un'impennata di vendite quanto una morte improvvisa. Già immagino gli strilli e le fascette rosse che accompagneranno il suo ultimo preziosissimo volume. E a lui tutto ciò farebbe solo un po' schifo.

Gli ho portato delle orchidee, che erano i suoi fiori prediletti.

Gli ho detto addio sottovoce, e spero che mi abbia sentita.

Specchiandomi in ascensore prima di entrare in ufficio mi accorgo di avere un aspetto orripilante ma, incrociando il Produttore in corridoio, noto che anche lui non sembra stare meglio. Ha la barba e odora un po' di letto sfatto.

"Signorina De Tessent, oggi l'ho cercata tutta la mattina. E non mi risultava fosse in ferie." Ha un tono inviperito che è un colpo al cuore.

"Dottor Scalzi, ho avuto una brutta mattina."

"Ah. Mi dispiace."

"Perché mi cercava?"

"Mi segua nel mio ufficio."

Il Produttore chiude con cautela la porta. Aveva dimenticato iTunes aperto, e stava ascoltando i Ramones.

"La cercavo per una questione un po' delicata."

"Se posso aiutarla..."

"Tameyoshi Tessai è morto," esordisce, dandomi le spalle e guardando oltre la finestra della sua stanza. Le spalle larghe, un maglione color carruba che – ne sono certa – è opera di sua madre, le mani in tasca.

"Lo so. Lo conoscevo."

"Ah sì?"

"Eravamo..." Mi rendo conto di non avere idea di come descrivere il nostro rapporto. Amici? Non so. Cosa mi riteneva, lui? Quanto è difficile trovare definizioni per i rapporti tra le persone. Esistono talmente tante declinazioni dell'affetto!

"Eravate?..." Per esortarmi a precisare, Scalzi si è voltato.

"Un po' amici."

"Oh. Be', allora... Mi rendo conto che il momento è terribile ma posso avanzare una richiesta?"

"Certo."

"Tessai ha eredi?"

"Non saprei. Immagino di sì. Tutti abbiamo degli eredi, fosse anche solo una gatta."

A Scalzi scappa un sorriso che reprime immediatamente. "Vede, signorina De Tessent, avevo in mente di assegnarle un compito, ma non vorrei mancarle di rispetto."

I miei sensi sono in allerta. "Provi a dirmelo."

"Come lei di certo saprà, Tessai si è sempre rifiutato di vendere i diritti dei suoi libri da quando fu girato quel film di una nefandezza incredibile. E come dargli torto? Adesso che è morto, non è assurdo pensare (e sperare) che gli eredi nutrano idee differenti." La logicità della sua riflessione non la rende meno brutale. "Quindi, potrebbero accettare delle proposte economiche. In tal caso, lei comprenderà l'importanza del tempismo," prosegue lui, del tutto inconsapevole del magma che ribolle nel mio cuore.

"È orribile," mi lascio scappare.

"Prego?" domanda, un sopracciglio inarcato in un'espressione risentita – credo che in realtà abbia sentito benissimo.

"Ho detto che è orribile," ripeto allora, con un tono più alto ma una voce più malferma. "Il corpo di Tessai è ancora caldo e avvoltoi come lei già pensano a come aggirare le sue volontà."

Lui tossisce nervosamente e sembra che stia contando fino a dieci prima di rispondermi. Infine, è con estrema calma che, sedendosi alla scrivania e guardandomi con un indescrivibile sentimento di irritazione, replica alle mie accuse.

"Mi dica, Emma, se lei non fosse stata un'amica di Tessai, non sarebbe già dietro la porta dei suoi eredi? Si ricordi perché l'ho assunta e qual è il suo lavoro."

Resto ammutolita. Forse ha ragione, forse no. Quando le cose sono semplicemente irreversibili, che senso ha immaginare alternative?

"In ogni caso, ho capito. Lei è la persona sbagliata con cui parlarne."

Mi sento tagliata fuori e tremendamente infelice.

"Dottor Scalzi, io..."

"No, la prego. Non torniamo sull'argomento."

Il sangue del principe della Fuffa che è in me si ribella. Piena di orgoglio fiammeggiante lascio la sua stanza con un saluto freddo, che se lui è intelligente – e lo è – interpreterà perfettamente come una perifrasi di un assai più sentito *Va' al diavolo*.

31.

La tenace stagista e le sorti del Produttore

"Zia, che vuol dire perdonare?"

Sul letto di ottone ossidato nella mia stanza con la carta da parati, un po' vintage o, più precisamente, un po' vecchia, la Nipote Due e io ci teniamo strette sotto le coperte. È giunto dicembre e con sé ha portato i giorni più freddi dell'autunno.

"Perché me lo domandi?"

"Mamma e papà lo dicono. Vuol dire chiedere scusa?"

"Non proprio. Ecco... il perdono viene dopo aver chiesto scusa."

Sono in difficoltà. Come si spiega un concetto così delicato a una bimba di tre anni? E poi, lo so davvero, io, cosa vuol dire?

"Zia, cosa significa perdonare?" Valeria ripete, insoddisfatta.

D'istinto, la risposta viene da sé.

"Dimenticare. Dimenticare le cose brutte e voler bene lo stesso."

"Allora io ti perdono che non mi hai dato le patatine stasera."

"Grazie, pulcetta, il perdono è pur sempre un regalo."

Valeria sbadiglia.

"Hai sonno?"

"Un po'..."

La abbraccio, lei chiude gli occhi dalle ciglia lunghe e scure come quelle dell'Orrido Cognato e, dopo qualche minuto, il suo respiro si fa più pesante. E io la invidio, perché vorrei tanto addormentarmi e spegnere l'interruttore dei pensieri che rivivono in loop la baruffa di oggi con il Produttore. Che poi, in fin dei conti, forse lui aveva ragione e io torto.

Per tutta la notte alterno il sonno e la veglia, con interludi carichi di rammarico e intenzioni di espiare la mia acidità facendo dono al Produttore di qualcosa che non so ancora, magari una stecca di cioccolato Callebaut, e dirgli *Mi dispiace, da un momento all'altro la potrebbero più o meno licenziare e sta vivendo un momento di cacca. E io sono stata scortese.* Che poi la scortesia è una di quelle cose che mi sconvolge, che cavolo.

Chissà se servirà a fargli dimenticare le cose brutte, ovvero a perdonare.

Cioccolatomunita e vestita color ciuffo di malva, busso alla porta del Produttore.

"Ah, è lei."

"Dottor Scalzi, volevo parlarle di ieri..."

"Ieri?" chiede confuso, come se non ricordasse.

"Ieri..."

"Cos'è successo ieri?"

Ha due vistose occhiaie e il suo cellulare trilla di continuo, senza che lui se ne curi. A un certo momento sembra un po' più irritato.

Ha la testa altrove.

"Per Tessai..."

"Oh, Tessai. Avevo già dimenticato. Andiamo oltre, signorina De Tessent. Non è importante."

"Oh no. Lo è... ovvero non lo è..." e mi incarto malamente in una specie di discorso in cui non si capisce nulla.

Lui m'interrompe con un gesto, sempre più distratto, e alla fine cede all'insistenza del telefono sulla sua scrivania.

Risponde a monosillabi, tempestoso nello sguardo. "Un momento," dice all'interlocutore. "Emma, è tutto?"

"Sì..." Capisco di essere stata congedata e di aver sprecato i pensieri di tutta una notte in qualcosa di cui lui non si era curato. Mi sento talmente ridicola! Se penso alla cioccolata, poi! Come mi è saltato in mente? Meno male che non gliel'ho data. Ci farò pranzo oggi, ho bisogno di tremila calorie.

Al termine di una giornata di lavoro un po' fiacca, dopo aver raccattato la borsa, un manoscritto e la giacca, messo il naso fuori dal mio ufficio, ho la sensazione di essere rimasta da sola, ma proprio dopo aver passato il badge sento una voce di donna molto alterata. È la voce di Tea Milstein.

Con piccoli passi sbilanciati sulle punte affinché i tacchi non tocchino il parquet, mi avvicino alla stanza del Produttore, ma non sento più voci. Né quella da contralto di Tea, né quella da principe saudita del Produttore. Sono in silenzio? Forse lavorano. Forse non hanno niente da dirsi. Forse le loro bocche non parlano, ma si baciano.

Non ci voglio pensare.

Rudolph Milstein è arrivato a mezzogiorno. Azzimato e severo, saluta con distaccata cordialità e si dirige verso la stanza del Produttore come se fosse il padrone di casa che ispeziona l'appartamento di un inquilino in ritardo con l'affitto.

Cosa stia per comunicargli è ignoto ai più. Forse non a Gloria, che ha una faccia funerea cui mancano solo i crisantemi, e che naturalmente se ne guarda bene dal condividere qualsivoglia informazione. La permanenza del grande capo nella stanza del Produttore è molto lunga. Al termine, Milstein è accompagnato alla porta da Gloria, che invia cari saluti a Tea e lui risponde con una cordialità sempre più gelida.

Segue riunione già programmata da una settimana, cui il Produttore partecipa con il decoro di un caduto di guerra, un po' spento, un po' indifferente. Ancora prima che finisca, Scalzi lascia le redini a Gloria e si allontana per non fare più ritorno.

Così la riunione termina nel piattume più desolato e, una volta tornata nella mia stanza, non riesco a lavorare con concentrazione; i miei pensieri passeggiano sul corridoio, si arrestano sul ciglio della porta del Produttore e tornano indietro senza risposte ma sempre più carichi di interrogativi.

"Emma?" È lui a chiamarmi, oppure comincio ad avere le allucinazioni?

"Dottor Scalzi?"

"Devo parlarle. Può raggiungermi nel mio ufficio?"

Un minuto dopo sono già lì.

Lui è di spalle e, nel voltarsi, mi sorride con una smorfia amareggiata.

"Signorina De Tessent, io... non so per quanto tempo, ancora, sarò il suo capo."

"Oh, Milstein..."

Lui m'interrompe. "Vede, Emma, lei crede nel suo ideale di bellezza. Io, a mia volta, credo nel mio ideale. Non invento forme nuove, non sono un artista. Ma..." si ferma, come se chiamasse a raccolta le parole "...io ripeto le forme, perché ho imparato le regole. Come un artigiano. E credevo di poter fare business con il mio artigianato in un mondo che è marcio fino al midollo, un mondo in cui i contratti si concludono solo se fai lobbying e diventi qualcuno."

"La Waldau è diversa, è sempre stata diversa," obietto.

"Un giorno le parlerò di tutte le volte in cui sono stato così orgoglioso e fiero di farne parte... E tutti dicevano che eravamo, o meglio, siamo, degli snob."

"Quell'orgoglio... lo conosco anch'io."

"Be', impariamo a farcelo passare perché quella Waldau

non esiste più." Un tuono squarcia il silenzio dopo che la luce di un lampo ha illuminato la stanza.

"Non vorrà andar via?"

"Il Consiglio di amministrazione non ha più fiducia nelle mie scelte. La linea creativa della Waldau è cambiata con Rudolph Milstein. E anche se non sono stato licenziato, non posso che lasciare questo posto."

"Ma dottor Scalzi, dove andrà, lei?"

Sono profondamente turbata, come se mi fossi persa in un bosco senza seminare le mollichine di pane.

"Via, Emma, non si preoccupi. Ho la pelle dura. E mi so reinventare."

"Ma lei è la Waldau," sussurro.

"Mi dà troppa importanza."

"E sta lasciando... solo per orgoglio."

Si fa severo. "Ognuno ha le proprie motivazioni quando lascia qualcuno o qualcosa, motivazioni la cui legittimità non può essere messa in discussione."

"Voglio soltanto dirle che lei non deve andare via perché... io voglio continuare a lavorare con lei. Perché ci può giurare che Milstein vuol farla fuori per ragioni che niente hanno a che vedere con il film della Aubegny. Perché, se lei se ne va, non dimostra coraggio bensì di essere un vigliacco che molla la nave perché il vento è contrario, e lei non è questo, non è così. Perché, se lei se ne va, Milstein metterà Tea al suo posto, e lei è troppo furbo per non immaginarlo. E perché, se lei se ne va, io avrò sbagliato tutto."

Lui preferisce non guardarmi, non rispondermi, forse nemmeno ascoltarmi.

"Si è fatto tardi. Certamente qualcuno la sta aspettando."

"Ci pensi, ci pensi sul serio."

Lui abbozza un sorriso, candido e stanco, ma gli occhi dicono molto chiaramente che la sua decisione è già presa.

32.

Un regalo per la tenace stagista

Così, come le stagioni si alternano e i fiori sfioriscono per rifiorire in un eterno ciclo in cui però nulla è eterno, anche le strade e le case e le storie nelle case cambiano, da un giorno all'altro. La mutabilità delle cose – e non l'immutabilità – è la vera salvezza dell'essere umano. Ed è strano che a pensarlo sia proprio io, la persona più sedentaria del mondo.

Ho aspettato che mia madre rientrasse a casa dalla lezione di tango e le ho detto di non togliere la giacca.

"Mi hanno pagato lo stipendio, oggi. Andiamo a mangiar fuori, offro io."

L'ho portata nel villino dei glicini, guidando sotto una bomba d'acqua mentre lei mi diceva timidamente che forse era meglio rinviare. E l'ho trovato chiuso. Ho pensato che fosse il giorno di chiusura settimanale, nonostante sia una scelta un po' insensata chiudere di giovedì. Poi ho percepito un'aria generale di dismissione, di chiusura in fretta e furia. Dopo un rapido controllo sul web, su un giornale locale online trovo la notizia della chiusura del ristorante di recente apertura *Il Villino dei Glicini*. Avevano contratto debiti con i fornitori, lasciando un buco dell'affitto di ventimila euro – grazie al cielo non l'avevano comprato, almeno – e su Tripadvisor avevano collezionato una tale quantità di giudizi negativi che alla fine hanno deciso di chiudere, almeno per il momento.

"Tesoro, ti ringrazio per il pensiero. Ceniamo a casa, sarà per la prossima volta."

"Ma non era per cenare. Io volevo proprio stare qui."

Mamma appare un po' perplessa. "Forse la giornata in ufficio è stata difficile. Se non troviamo traffico, siamo ancora in tempo per preparare un ciambellone alla Nutella. E anche se tardiamo, chi se ne importa? Non dobbiamo dar conto a nessuno."

"Mamma, a volte mi sembra che tu curi tutti i mali con la Nutella."

"Non è così che si curano?"

Per come mi sento stasera, no... niente può aiutarmi. Forse un abbraccio, ma la mia pelle è disabituata e non riesco nemmeno a chiederlo.

Che amarezza. I gestori del ristorante avevano aggiustato il cancello, quindi non potrò neanche concedermi un'incursione come un tempo.

"Pazienza, mamma. Aspetterò."

"Che cosa?"

"Non lo so nemmeno io."

Il Produttore non viene al lavoro da giorni. Gloria ha reso noto che è partito all'improvviso per Oslo. No, non sa perché e no, non sa quando tornerà.

Ho iniziato a visualizzare i girati del giorno e *Il codice della pioggia* è esattamente come lui lo desiderava. Sarebbe bello potergliene parlare e continuo ad aspettare che lui ritorni.

"È arrivata una raccomandata per te, oggi. Ho firmato io," mi avvisa mia madre che da quel dì continua a preparare dolci a base di Nutella. Di certo non mi fanno stare meglio, eppure non la smette.

"Sarà una multa."

"No. Viene da un tal notaio Artusi. L'ho lasciata sulla tua scrivania."

Poso l'ombrello e senza neanche fare prima pipì vado a controllare.

Gentile signora Emma De Tessent,
la contatto in qualità di consulente notarile del signor Ta-meyoshi Tessai. Come certamente Lei saprà, il signor Tessai è venuto a mancare lo scorso 21 ottobre dopo una lunga malattia. Essendo al corrente delle proprie gravi condizioni di salute, il signor Tessai ha provveduto a stilare un testa-mento pubblico cui adesso mi accingo a dare esecuzione.
Essendo Lei destinataria di un legato da parte del defunto signor Tessai, le chiedo di incontrarci per discuterne, essen-do fatta salva la possibilità, da parte sua, di rinunciarvi.
L'occasione è gradita per porgerle i miei più cordiali saluti,

Notaio Enrico Artusi

Compongo il numero di telefono e fisso un appuntamento per l'indomani.

Prima di scivolare in un sonno florido, penso a Tessai e al suo ultimo pensiero per me. Sento il cuore vibrare di nostalgia.

Lo studio del notaio è uno di quei luoghi solenni, pieni di pachire, stampe antiche e pezzi d'argento, in cui è molto dif-ficile sentirsi a proprio agio. Per conto suo, il notaio Artusi avrà più o meno cento anni ed è quello che la nonna De Tes-sent avrebbe definito "un uomo dabbene".

"Si accomodi, signora."

"La ringrazio."

La poltroncina di legno tappezzata di velluto color seme

di zucca rumoreggia con sofferenza a ogni mio movimento, per cui finisco col mummificarmi mentre ascolto con attenzione le parole del notaio.

"Quindi, come le dicevo, è chiaro che usualmente, al contrario degli eredi, i legatari siano destinatari di beni e non di oneri; motivo per cui sento a ragion veduta di dissuaderla dal rinunciare alla sua eredità."

"Ma io non ci penso nemmeno a rinunciare! Qualsiasi cosa il signor Tessai abbia previsto per me è un dono gradito."

"Bene. Innanzitutto il signor Tessai ha lasciato per lei questa lettera, che le consegno."

Mi porge una busta vergata con una grafia infernale indirizzata "Alla cara Emma".

"E ora, veniamo alla sua eredità o, più propriamente, al suo legato."

Il notaio si dilunga quindi in una istruttiva (ma ahimè noiosissima) dissertazione sulla differenza tra eredità e legato, su tutta una serie di specificazioni legali e amministrative, mi sottopone documenti da firmare (molti) e alla fine lo dice quasi in sordina, senza l'importanza che merita, mentre io resto di stucco, illuminata, piena di felicità, nell'apprendere che Tameyoshi mi ha regalato i diritti di *Tenebre di bellezza*.

"Nel suo testamento, il signor Tessai ha precisato che tutte le ragioni della sua scelta sono spiegate nella lettera che le ho già consegnato. E adesso, una firma, l'ultima, qui," conclude porgendomi un foglio protocollo di quelli che si usavano a scuola per i compiti in classe.

"Bene. A questo punto lei, signorina De Tessent, è l'unica e sola proprietaria dei diritti." Mi porge la mano con aria giubilante. "Congratulazioni vivissime!"

Io mi sento un po' frastornata. E felice, ovviamente. Ma di quella felicità un po' esitante che si prova quando si riceve un regalo troppo grande o troppo inatteso.

Cara Emma,

la prego di non indispettirsi se non ho avuto il riguardo di salutarla.

Ma io odio gli addii.

Non la annoierò con i dettagli sulla mia malattia; del resto, se sta leggendo queste parole è perché lei ha vinto e io sono già nel vento. Le chiedo di ricordarsi di me con affetto.

Adesso voglio parlarle di Tenebre di bellezza.

Un libro non è solo un libro. Un libro è un intero universo di sentimenti. E se non lo è, non è che un volume vuoto, inutile e nessuno se ne ricorderà. Per questo ogni scrittore è tanto suscettibile quando si tratta di critiche. Le critiche sono sempre personali.

Tenebre di bellezza narra la storia di un sentimento che non ha mai visto la luce del sole. Per alcune sfortunate persone va così. È successo a me, come a tanti altri.

Ho avuto cura di questo libro più di ogni altro, come se fosse un tesoro inestimabile, e non potrei immaginare nessun altro a custodirlo. Eccetto lei.

Con questo, non voglio dire che le vieto di farne l'uso che vorrà. Un dono non deve porre condizioni. Né desidero che lei percepisca mai un limite o un senso di veto morale.

Poiché ciò mi renderebbe profondamente infelice.

Il custodire avrà il significato che solo lei saprà attribuirgli.

E alla fin fine, Emma, cosa vorrà farne non è poi così importante. Sono solo storie! Anche se è la mia storia.

Buona vita e buon vento, mia cara Emma.

Per sempre suo,

Tessai Tameyoshi

33.

La tenace stagista e il perché delle cose

"Hai già deciso cosa farai dei diritti?" domanda mia madre, il viso non perfettamente disteso.

"Ci ho pensato e ripensato, ma qualunque scelta mi sembra tradire Tessai. Forse lo capirò quando arriverà il momento giusto."

"Ma come? Dici sempre che la Waldau ne farebbe un capolavoro."

"Be', mamma, le cose sono più complicate adesso... e poi la scelta avrebbe dovuto compierla Tessai, non io."

"Adesso i diritti sono tuoi, solo tu puoi scegliere."

"Sceglierò, un giorno. Non ho fretta."

Mamma sembra irrequieta. Se non altro, però, ha smesso di fare dolci utili solo ad aumentare la mia massa grassa.

"Posso rileggere la lettera di Tessai?" domanda con timidezza.

L'avevo già riposta in un secrétaire in cui conservo i miei piccoli tesori: una foto con mio padre; il libro che gli dedicò Tessai; la chiave magnetica della mia stanza al Park Lane di New York; un braccialetto – orribile – che mi regalò Carlo e non ho più il coraggio di guardare ma che non riesco a buttare via.

La prendo e la consegno a mia madre, che la rilegge quasi volesse rintracciarvi significati nascosti. Che probabilmente ci sono, perché dopo un po', come se non riuscisse a trattenersi, si fa coraggio e mi parla di un fatto. Un fatto segreto, un fatto complicato, un fatto delicato. Un fatto la cui esistenza è essa stessa la risposta ai miei interrogativi. Ecco che tutto diventa chiaro, come se avessi trovato all'improvviso la soluzione di un gioco di logica.

"Nooo," trasecolo.

"Sì."

"Ma ne sei sicura?"

"Certo che sì."

"Te l'aveva detto proprio Sinibaldi?"

"A modo suo. Era una persona di grandissimo riserbo. E se quel libro è la loro storia, la storia di Tessai e di mio fratello, allora sai, Emma... trovo ancora più importante che tu sia la depositaria di quel che resta."

Mi abbandono a un lungo e rumoroso sospiro. "Che responsabilità, mamma."

"Eh, già... A cinquantanove anni non ho ancora imparato ad accettare che un dono, qualunque dono, anche quello che ci appare più grande, anche l'esaudirsi di un sogno... ogni dono toglie qualcosa. E ti va bene se non paghi un prezzo che solo alla fine si rivela troppo alto."

Mamma sa essere una grande motivatrice, ma a volte si fa risucchiare dal pessimismo cosmico. Adesso deve aver visto una coltre di nubi scendere sul mio viso e si affretta a correggere il tiro.

"Ma sai che ti dico? Ha ragione Tessai. Sono solo storie, dopotutto."

Be', non lo so. Quelle parole di Tessai forse erano dettate dal volermi regalare non solo i diritti ma anche la libertà di usarli come voglio. Tanta generosità però io voglio meritarla.

Giorni di luce sempre più brevi si alternano prima che il Produttore faccia ritorno dalla sua trasferta norvegese. Entra ed esce dal suo ufficio portando sul braccio il cappotto di tweed e limitando i suoi rapporti con il resto del mondo a saluti e sguardi molto distratti.

Anche il giorno in cui Tea Milstein si è insediata nel suo nuovo brillante ufficio con l'incarico di Chief financial officer, il Produttore non si è visto. Le campane della chiesa a un passo da qui hanno suonato forte mentre lei portava degli scatoloni imballati con cura, con tutte le sue cose, e in quell'istante ho provato la sensazione di un cambio di stagione. Come quando a un certo punto, di sera, non puoi più dimenticare a casa il golfino e capisci che l'estate è terminata. Con quella sua capigliatura fulva da persona di carattere, il mento un po' sporgente che potrebbe farla sembrare un bulldog, eppure le conferisce un'aria fiera da persona che sa il fatto suo, i polsi pieni di gioielli dorati (che se son d'oro vero, è un po' come portarsi a spasso un assegno circolare), e poi quello sguardo, quello sguardo che non sopporto, lo sguardo di colei che scruta il mondo rammaricandosi che il 99% delle creature le sia intellettualmente inferiore e che poggia su di me come se fossi una poveretta. Che poi, dove è scritto che lei è una che di cinema ne capisce? Mi sto anche un po' convincendo che quel suo particolare gusto tendente al lugubre è tutto fuorché contemporaneo. E quando entro nella sua nuova stanza, e vedo l'agghiacciante foto – presa da non so quale film russo – di una ragazza in sottoveste ottocentesca con il viso coperto da una massa di capelli, mi sento male.

Lavorare al fianco di una così, che è affetta da una ahimè diffusa forma di intellettualismo molesto, è una delle nuove piccole grandi sciagure riservatami dal Creatore, ma poiché da molti mesi ormai mantengo il giuramento di non lamentarmi, continuo il mio lavoro con la serenità di un monaco tibetano e aspetto.

Non so neanch'io cosa, di preciso, ma aspetto.

Probabilmente aspetto che il Produttore torni quello di

un tempo. Quello stesso uomo di quel singolare tipo di bruttezza che paradossalmente è vera bellezza, quello stesso uomo che con un manto di pelo di lupo sembrerebbe uscito dal più sugoso Harmony mai scritto.

Aspetto che al termine del montaggio di *Il codice della pioggia* potremo vedere la pellicola insieme, dirci *Quanto è strepitosa lei*, oppure *L'inizio è pazzesco*, e anche *Meno male che abbiamo cambiato il finale*. A quel punto ci faremo beffe di chi non ha capito il nostro lavoro e, quando alla fine percepiremo l'entusiasmo anche negli altri, noi due, solo noi due, potremo dire che l'avevamo sempre saputo.

34.

La tenace stagista e le nuove aperture

In uno dei miei attacchi di "faccio piazza pulita del superfluo", ho scovato un baule, in soffitta, appartenuto alla nonna De Tessent. Conteneva camicie da letto di cotone di una misura inadatta sia per me sia per Arabella. I merletti sono color osso di balena, ricamati a mano, non come quel pizzo orrendamente sintetico che la signora Vittoria mi ha insegnato a detestare. E ricordando proprio quel suo accanimento contro la bruttezza a buon mercato della riproduzione industriale, ho deciso di farle visita.

Ho scucito i merletti tagliando con le forbicine i fili uno a uno, liberando quel tripudio di piccole rose e preparandole per una nuova vita. Mi sono sentita galleggiare sulle nuvole e tutto ciò che è fonte di inquietudine è volato via lontano... almeno per un po'.

Ho incartato i merletti in una velina di una tinta Cabernet che lei non potrà non amare e ho varcato quella soglia con la stessa letizia della prima volta.

"Emma! Perché hai aspettato così tanto tempo prima di venirmi a trovare?" La signora Vittoria è contenta, ma di una contentezza venata di delusione.

Ci metto un po' a riconoscere la verità. Perché in realtà ha ragione, sono stata scortese a sparire così.

"Perché avevo paura di aver voglia di lasciare tutto e tornare a lavorare qui. Che poi è proprio ciò che sto sentendo in questo momento."

Quel sentimento di vertigine che proviamo quando ci misuriamo con un'altezza, quello stesso formicolio alle piante dei piedi e ai palmi delle mani, non è del resto al contempo paura e anche desiderio?

"Eh, io non ti avrei ripresa, però." Adesso la signora Vittoria sembra più distesa.

"Ero un tale disastro?"

"Oh, no. No. Ma sarebbe stato uno spreco, questo sì. Perché pare che tu abbia un gran talento nel tuo mestiere, signorina." Avvampo al pensiero luccicante del Produttore che parla di me con la madre. "Buono, Osvaldo. Sì, non vedevi Emma da tanto tempo ma questo non giustifica la malacreanza."

"Lei come sta?"

"Un po' affaticata. C'è stata qui un'apprendista... ma lei sì che è stata un vero disastro, e così adesso sono di nuovo da sola e come vedi le mie mani sono sempre più malconce." È molto amareggiata mentre rimira le sue mani, senza anelli, ancora più nodose di come le ricordavo. "Ricamare è un tormento. Sto pensando di ritirarmi dalle scene."

"Lei non può mollare! Non deve! Guardi cosa le ho portato."

Le porgo la confezione e sono felice di scorgere l'entusiasmo nei suoi occhi.

"Oh! Sono merletti splendidi! Potrei farci una veste da battesimo."

"Pensavo proprio a questo!"

"Perché non mi aiuti? Potresti venire qui dopo il lavoro, quando ne hai la possibilità."

La richiesta è come una goccia di latte che si amalgama squisitamente nel caffè. "Perché no? Dopo il lavoro?"

"Mille volte sì!"

La delicata fragranza di cotone pulito che si respira sempre in questo posto si disperde tragicamente nell'olezzo delle flatulenze di Osvaldo, dovute – a parere della signora Vittoria – alla contentezza per la notizia del mio temporaneo ritorno.

Ci salutiamo piene dell'entusiasmo che nasce di fronte alle nuove promesse, e dalla bottega dalle pareti color uovo di papera fino al mio ufficio scandinavo il passo è breve ma voraginoso.

"Ah, eccoti, Emma." Tea sorride con quella cordialità fasulla che la caratterizza, reggendo un malloppo pronto a transitare dalle sue mani affusolate alle mie.

"Siamo indietro con l'editing del nuovo soggetto. Perciò io devo ancora lavorare sul preventivo del budget. E tutto deve essere pronto entro domani mattina."

"Ma Tea... non ci riuscirei nemmeno se mi ci dedicassi tutta la notte!"

"Be', ma tu puoi fare qualunque cosa," ribatte con un sorriso crudele sul bel viso, che muore quando vede apparire il Produttore, incombente e irregolare come una turbolenza. Non si vedeva in ufficio da un po', ma è ancora qui. Qualcosa vorrà dire.

"Lo schiavismo non appartiene alla nostra politica aziendale. Non ancora, almeno. O forse avete introdotto nuove regole delle quali non sono stato messo a conoscenza?"

"Questo generico plurale inizia a disturbarmi," risponde Tea con l'alterigia di chi detiene il potere.

"Quante cose, quante, disturbano me."

Inizio a percepire disagio, come se stessi presenziando a un dialogo privato.

"Be', in ogni caso mi metto al lavoro," sento me stessa dire, per dissipare la tensione.

Lui continua a fissare Tea, in un flusso di livore irruente, in una scena immobile in cui i due protagonisti escludono il resto del mondo e solo io mi muovo, presente eppure assente, e se adesso me ne andassi non se ne accorgerebbe nessuno. Finché poi, in un istante, il Produttore cambia indirizzo al suo sguardo, quel livore giunge a me e si trasforma in altro che non so cos'è, ma so che accarezza il mio cuore.

Tea osserva il tutto con uno di quei sorrisi che servono a schermare l'anima dalle frecce, prima di dire: "Brava, cara, ci conto". E mentre mi allontano, mi accompagna sino alla porta con lo sguardo e con quello stesso inquietante sorriso.

Per portare a termine l'incarico di Tea ho rinunciato alla veste da battesimo per due giorni di fila. Come tutte le buone intenzioni e, più in generale, come per ogni cosa che potrebbe darci gioia, siamo sempre pronti a rinunciarci in vista di un bene superiore. Mi sento affaticata ma resto in ufficio lo stesso, fino a tardi. Non sono la sola.

Anche Gloria fa straordinari, e anche il Produttore. Ho appena visto su Photo Booth che ho un'aria un po' smunta da sanatorio dei primi del secolo, quando mi convoca nel suo ufficio. La sua espressione è euforica, come se non fossero le otto di sera e lui non fosse stato chino sulle carte dalle otto di stamattina.

"Devo parlarle, Emma. E non sarà una cosa breve. Se per lei è tardi, me lo dica." Faccio segno di no col capo.

Lui sorride come un ragazzaccio nell'annunciare: "Signorina De Tessent, queste sono le mie dimissioni. Con effetto immediato. Io... volevo che lei fosse la prima a saperlo".

Quindi se ne va, alla fine.

"Quando un uomo non crede più in quel che fa, non gli resta nient'altro da fare. Lei dovrebbe capirmi meglio di chiunque altro."

"E adesso?"

"Adesso proverò a fondare una casa indipendente, tutta mia. Un posto in cui le mie regole possano ancora funzionare."

Provo una sensazione luttuosa. Poche tra queste imprese

che nascono con le migliori intenzioni hanno successo. E in un attimo ho una tragica visione, come nei romanzi di Thackeray, l'immagine del Produttore con i capelli unti e i denti guasti in prigione per debiti, per pagare i quali la signora Vittoria è costretta a vendere la bottega. Uno come lui trasformato in un mediocre raccattafondi che produce film di serie B che la gente scarica gratis e dopo averli visti li sputtana con commenti orrendi su YouTube e...

"Emma, mi sente?"

"Sì, certo."

"È triste come se fossi morto."

Reprimo la risposta che stava già decollando, ovvero che professionalmente, in sostanza lo è. In questo ambiente vali quanto ha incassato il tuo ultimo film. E ogni eccezione alla regola si applica solo se hai un robusto paracadute alle spalle. Cosa ne sarà del mio eroico illuminato Produttore, in questo clima culturale un po' crudele e molto difficile?

La sua lettera di dimissioni stampata con carattere Courier New su carta intestata e firmata con uno scarabocchio da megalomane è sulla scrivania senza che Milstein l'abbia ancora ricevuta. Pochi passi e Scalzi se ne andrà e io sento che la ragione di una scelta che a suo tempo mi costò tanta fatica sta sfumando in un niente.

E se ho un'ultima carta, un ultimo asso, se vale la pena giocarlo, se ha un senso farlo, se Tessai da lassù mi dà la sua benedizione, in una grandine furibonda di pensieri, emozioni, io ho qualcosa che ancora mi resta e soprattutto lui ha una ragione per rimanere.

"Dottor Scalzi, lei si ricorda quando mi chiese degli eredi di Tessai?"

"Sì..." Lui sembra un po' confuso.

"Ecco... Per tutta una storia che forse un giorno le racconterò, i diritti di *Tenebre di bellezza* appartengono a me. E anche se all'inizio non mi era chiaro cosa avrei potuto farne, adesso ho deciso. Io voglio regalarli a lei."

Tessai mi ha fatto capire che i diritti di questo libro possono solo essere donati. E per una ragione che sia "grande". Grande non in senso assoluto, naturalmente. Perché una persona con altro temperamento e dotata di vera carità, se avesse voluto farne qualcosa di grande, avrebbe potuto venderli e devolvere il ricavato in beneficenza, tanto per fare un esempio. Ma credo che l'idea di Tameyoshi fosse che la ragione debba essere "grande" per me. Vendendoli per ricavarne denaro con qualunque finalità, anche la più nobile, in questo momento sentirei di tradirlo.

Non posso fare diversamente che donarli a lui.

Non vi è dubbio che io abbia letto troppi romanzi rosa.

Scalzi ascolta in silenzio e mi guarda per un tempo che dura un'eternità. Poi, con risolutezza, il Produttore si avvicina, senza smettere di guardarmi e alla fine, solo alla fine, mi abbraccia. A lungo, tanto a lungo, un abbraccio che è di calore e profumato di paradiso. Un abbraccio che rende ogni parte di me deliziosamente soffice e inerme, ma che finisce come ogni bella cosa. E del resto, il valore della felicità è insito proprio nella caducità. Se durasse anche solo quell'attimo in più ci abitueremmo, e non sapremmo più riconoscerla. E che gran perdita sarebbe!

35.

La tenace stagista e Tea, Faust e Mefistofele

Dopo quell'abbraccio, il Produttore si è dileguato. Come se il gesto in sé ci avesse trasferiti in una dimensione in cui le parole sono superflue. Ma ciò è vero solo in parte, perché in realtà io desidererei ascoltare i pensieri che hanno attraversato la sua mente, perché in quel silenzio qualcosa deve pur aver pensato.

Eppure, in un'epoca in cui la comunicazione è semplificata da ogni mezzo possibile e chiunque busserebbe alla porta dell'altro semplicemente con un breve messaggio, io e il Produttore, al di là del tempo, lasciamo che solo le nostre menti dialoghino in un wireless personale che nulla ha di tecnologico e che grande spazio lascia ai sogni.

E nei giorni successivi, al lavoro sulla veste da battesimo con la signora Vittoria, la domanda su come stia il figlio la reprimo più volte, dato che lui alla Waldau non si è più visto. Quella lettera di dimissioni potrebbe essere partita dal suo account, o anche no. Lui non c'è, forse Gloria sa dov'è, anzi certamente lo sa ma si guarda bene dal dirlo.

E così sono trascorsi i giorni finché, ingombrante e consolatorio, senza aspettare alcun invito, è arrivato il clima che anticipa il Natale. Mille luci e input a spendere soldi che non si hanno per cose che non servono.

Se non si è religiosi, il Natale esiste solo finché si è bambini e finisce col mettere anche un po' di tristezza. Specialmente se il tempo è bello e splende il sole. Perché se proprio dev'essere Natale, almeno che sia freddo e nevichi.

Mentre la luce del pallido sole di dicembre rivela la polvere sulla mia scrivania, mi giunge l'ordine di presentarmi al cospetto di Tea Milstein, che mi accoglie con quell'abituale aria pretenziosa. L'altro giorno l'ho cercata su Facebook e ho trovato un profilo pieno di selfie in cui lei accentua quello sguardo innamorato di se stessa che la rende, se è possibile, ancora più odiosa. Vorrei tanto dirle *Tea, ma che te la tiri a fare così? Esattamente come me, come Angelina Jolie e come qualunque individuo su questa terra, anche tu fai la cacca.*

"Oh, Emma, eccoti."

Poggia gli occhiali da vista sulla sua scrivania e mi rivolge un sorriso pieno di condiscendenza.

"Come stai?"

La domanda mi coglie impreparata in quanto non credo che possa davvero importargliene alcunché. E se dovessi essere sincera risponderei che non me la passo poi tanto bene, perché mi sento confusa e anche un po' insoddisfatta, perché mi arrovello senza sosta su tante e troppe cose e perché le elucubrazioni mi sfiniscono.

"Bene, grazie."

"Ottimo. Ascolta, Emma," esordisce con una rapida occhiata a un orologio da polso grande e maschile. "Mi è passata per le mani un'opportunità."

Senti, senti.

"Come certamente saprai, da circa un anno la Waldau ha aperto una sede a New York. È una sede ambiziosa, piena di progetti, che gode anche di un discreto budget. Per farla breve, si è resa disponibile una posizione per Chief creative officer. Da Oslo chiedono di indicare qualcuno di valido e io ho pensato a te. È vero, sei qui da relativamente poco, ma vedo un grande potenziale in te. Dirò di più. Se sei interessata, vorrei proprio caldeggiare il tuo nominativo. Cosa ne pensi?"

Penso che, se non ci vedessi un tranello, accetterei immediatamente. "Il dottor Scalzi ne è a conoscenza?"

"Al momento Pietro è a Parigi. Non è stato necessario parlargliene. Non è mai stato un tipo molto attento. Per lui, un impiegato vale l'altro. Ma alla Waldau guardiamo oltre. Sei sprecata, qui, a fare la scribacchina. Mi rendo conto che lavorare con uno come Pietro... be', possa essere *stimolante*, diciamo così. Ma apri i tuoi orizzonti, Emma..."

Sono stata particolarmente attenta a soppesare la materia con cui il suo discorso è stato costruito e c'è voluto un po' per capirlo. Forse perché la mia mente è stordita dal suo profumo da donna di classe che ne fa un uso noncurante.

Poi ho capito. Mi ha parlato con compassione.

"Trovo la tua proposta decisamente interessante," le dico, prendendo tempo. "Ma tu capisci bene che è necessario riflettere, e non rispondere d'impulso."

Lei inarca un sopracciglio. "Pensa, la vedo in maniera opposta. Credo invece che bisogna rispondere d'impulso. Riflettere troppo può indurci a commettere degli errori. Ma la scelta di pancia... no, quella no."

"Quando dovrei iniziare, se la cosa andasse in porto?"

"Be', dovremmo solo aspettare di capire se vi sono alternative proposte da altre sedi europee. Quella tedesca, che te lo dico a fare, è piena di elementi molto ambiziosi che non ci penserebbero nemmeno un istante prima di dire sì."

"Comprendo."

"Tra l'altro, perdonami se entro in una sfera un po' personale... hai famiglia? Non vedo fedi, sulle tue dita..."

"No, infatti. Non ho legami."

"Ecco, una scelta del genere è molto più facile quando si è... liberi. E diventa anche un'opportunità non solo professionale. Vorrei avere io trent'anni ed essere sola a New

York!" conclude con un guizzo di allegria completamente fasulla, che vorrei proprio vederla lei, sola a New York, senza l'egida di Rudolph Milstein. Lei, che è la tipica donna accreditata dall'essere la "moglie di".

"Certo," ribatto con una risatina complice. Perché a volte la gente te lo chiede proprio esplicitamente, *Prendimi in giro*.

"Bene. Aspetto tue notizie al più presto. Non lasciarti scappare questa occasione."

Annuisco con ricomposta serietà e ho la testa già piena di sogni. Trovare un monolocale in Perry Street, abbuffarmi di muffin da Magnolia Bakery, fare shopping da Bloomingdale's e, naturalmente, trovare un uomo degno di tale sostantivo con cui andare ai vernissage, a correre a Central Park il sabato mattina e con cui, un giorno, accarezzare l'idea di riprodurmi. Piccoli e grandi sogni iniziano ad affollare la mia mente soffocando il quotidiano, tutto quello che già ho e che, dopotutto, male non è. Ma in un incessante flusso di fantasie fuori controllo continuo a vedermi alla moda, nuova e diversa, in altri termini newyorkese, quasi dimenticando di interrogarmi su un punto fondamentale della faccenda, di certo meno eccitante e potenzialmente assai inquietante.

Perché?

Perché Tea Milstein vuole spedirmi a New York per direttissima con un incarico ghiotto al punto da non poter non abboccare?

Talento? Ne ho davvero? E in misura tanto abbondante da giustificare un simile colpo di fortuna?

"Sei sempre talmente negativa e sfiduciata," osserva mia madre, quando la metto a parte dell'accaduto. Siamo sedute al tavolo di olmo naturale con i piedi dipinti di bianco, vecchio e stravecchio, ma per il quale un'amica snob di mamma una sera a cena le ha offerto mille euro che siamo state sul punto di accettare, salvo poi ricordare che a questo stesso tavolo sedeva papà. E non se n'è più parlato. C'è anche Arabella, e le Nipoti stanno guardando *Cenerentola*. "Perché non riesci a credere che a volte le cose possano andar bene e basta?"

"Mamma, perché questo non succede mai. È impossibile. Deve pur esserci qualcosa di oscuro e io non sto riuscendo a scorgerlo."

"Che il tuo capo sia sparito dopo che tu gli volevi regalare qualcosa che non ha prezzo mi sembra di per sé sufficientemente oscuro," commenta Arabella, che ha ripreso a mangiare come un tempo ed è bella rotondetta e felice. "Valeria! Quante volte ti ho detto di non stare così attaccata alla tv!"

La Nipote Due obbedisce all'istante. "Mamma, quando mi rimproveri, mi si spaventa il cuore."

"Arabella, sii più mite," la ammonisce mia madre, e i miei guai sono già in secondo piano. Quando siamo al dolce, si ricorda che al centro della discussione c'era la possibilità che la sua secondogenita, il bastone della sua vecchiaia, la compagna delle sue serate, delle sue domeniche, colei che le aggiusta il sifone con la stoppa quando perde, potrebbe entro un mese trasferirsi a New York.

"Fa ben freddo a New York in dicembre," dice mia madre, in un improvviso accesso di mestizia.

"Potrei sempre portarmi dietro il Caldobagno."

"È un'idea."

Arabella continua a sgridare un po' nervosamente le Nipoti, che alla fine crollano addormentate sul divano mentre Cenerentola canta *Lavender's Blue*.

Mamma appare un po' pensierosa. "Volevo aspettare Natale ma... sento di farlo adesso."

Arabella si taglia un'altra fetta di pandoro. "Cosa?" chiede con le labbra impolverate di zucchero a velo.

Mamma si alza e va nella sua stanza, da cui fa ritorno con due pacchettini.

"Un regalo per voi due. In anticipo, è vero... ma è questo il momento giusto."

Sono confezioni un po' rudimentali, di quelle che fa mia madre con la carta da imballaggio e la juta. Scartandolo sento una vibrazione, qualcosa che giunge dal passato, la forza e l'energia di un oggetto che non è solo una cosa, ma è più intensamente un messaggio.

È un ciondolo, ma lo riconosco. È uno degli orecchini della nonna sconosciuta, quelli che Sinibaldi aveva regalato a mia madre e che lei teneva chiusi nell'armadio. Li ha separati e li ha trasformati in due pendenti. Mia sorella, che ha un debole per i gioielli, è tutta un giubilo.

"Appartenevano a mia madre," accenna vagamente. Cerca il mio sguardo, perché sa che posso capire. Arabella non approfondisce, è già corsa davanti allo specchio per vedere come sta.

"Grazie mamma, è bellissimo!" le dice abbracciandola forte.

Mamma è contenta. Probabilmente sta pensando *Che spreco non averla resa felice prima e lasciare quegli splendidi gioielli nell'oscurità dell'oblio in uno scatolone in cima a un armadio. Che spreco, quando ci ostiniamo a reprimere la luce.*

36.

Perché hai lasciato la mia mano?

Ho fatto la mia scelta. Cado nella rete di lusinghe di Tea perché, qualunque sia il suo fine ultimo, la mela che mi ha offerto val la pena di essere assaggiata anche qualora fosse avvelenata. Ma prima, se voglio partire senza provare tristezza, senza che una piccola Emma in redingote mi sussurri alle orecchie parole di rimpianto, devo parlare con il Produttore. Gli mando un messaggio e gli chiedo di incontrarci in una sala da tè in via Claudia.

Adesso siamo qui, una Sonata in Re maggiore per due pianoforti di Mozart, davanti a una cioccolata calda e a una vergognosa quantità di panna fresca.

"L'avrà saputo... che ormai non sono più il suo capo."

"In realtà no, non lo sapevo ancora con certezza, ma l'avevo intuito."

"C'è ancora chi crede che le mie dimissioni non saranno accettate."

"Crede e spera," aggiungo.

Lui glissa e sorseggia la sua cioccolata con una calma contagiosa. "Sono stato a Parigi per incontrare una persona, Luc Montand. È stato per anni alla Waldau anche lui e cercava il momento giusto per mettersi in proprio e dare il via a qualcosa di nuovo. Non sarà facile ma ci crediamo."

Io annuisco, un po' a disagio. Vorrei fargli mille domande su questa impresa, per capirlo di più, per capirlo meglio. Eppure sono come paralizzata, tutto quello che riesco a dire è: "Tea mi ha candidata per un incarico di manager alla sede di New York".

Lui sembra colpito. Ha sgranato gli occhi e ha poggiato la tazza sul tavolino.

"Ah. E lei ha accettato?"

"Sto per accettare. Prima volevo incontrarla."

"E cosa si aspetta da questo incontro?" domanda, con una voce forzatamente incolore.

"Un parere. Una risposta."

"Qual è la domanda?"

"I diritti di *Tenebre di bellezza...*"

Al che lui mi interrompe. "Emma, non posso accettare."

"Avrebbe potuto dirlo prima." Sono parole che rimbombano di delusione, perché quando un dono viene respinto, in chi l'ha offerto qualcosa si spezza irrimediabilmente.

"Accettarli per lavorarci alla Waldau mi avrebbe solo incatenato a qualcosa che ormai è lontano. Che non può continuare. Accettarli per la nuova produzione che sto avviando sarebbe un rischio che lei, Emma, con la sua generosità... non merita di correre. Non posso metterla nelle condizioni di perdere qualcosa di così importante."

Vorrei dirgli *Ma così perdo qualcos'altro di ancora più importante.*

"E devo anche dirle – se vuole il mio parere – che ha fatto bene ad accettare la candidatura. E che, se Tea ha deciso così, è più che una candidatura. La consideri già cosa fatta." Ha parlato con un tono che suona rabbioso.

Dottor Scalzi. Se lei mi chiedesse di seguirla nella sua nuova avventura, io lo farei. Io rinuncerei.

Ma lui non me lo chiede. Prende la mia mano e sorride. "La sede di New York è un posto eccezionale. La invidio un po'!" aggiunge con un sorriso nervoso. "Solo un pazzo potrebbe dissuaderla dall'accettare."

"È un gran passo lasciare casa," osservo con timidezza.

"Non abbia paura della nostalgia. Porti la sua casa nel cuore e segua il vento. Avrà un futuro radioso, ne sono sicuro."

"Lo auguro anche a lei," mi ritrovo a rispondere, in maniera così formale.

"È una scommessa. I rischi sono alti ma... non sono ancora tanto vecchio da accettare di vedermi seduto a una scrivania che odio. Tutto era molto diverso un tempo. Non avrei mai creduto che un giorno avrei lasciato la Waldau. Eppure, vede, Emma, la vita ci sorprende sempre. Ha sorpreso anche lei: nel giro di un anno, da stagista alla Fairmont a manager a New York per la Waldau. Che splendido lieto fine."

"Passando anche attraverso un apprendistato per sarta," aggiungo e vorrebbe essere una battuta, ma ho gli occhi lucidi. Tutt'intorno a noi, l'insistenza indiscreta del Natale, le luci alternate in cuori di filigrana, le ghirlande di agrifoglio e le bacche rosse, il profumo degli aghi di abete.

"Un anno molto ricco," osserva lui, quasi distratto, prima di controllare il conto.

"Sono stata fortunata."

Lui sorride appena, con tenerezza. "Buon Natale, Emma," augura infine, con un abbraccio caloroso ma che non ha nessuna delle note di quel momento infinito di quella sera preziosa.

Avrei solo voluto che mi trattenesse. Che mi dicesse *Non andare a New York. Buttati con me in questa storia. Finiremo poveri, ma del resto, non siamo mai stati ricchi.*

E invece ha lasciato la mia mano. Nessuna fantasticheria in stile "molto poveri e molto felici". Ha messo quel cappotto di tweed un po' liso sul collo, ha pagato il conto, ha sorriso e se n'è andato.

Aveva ragione.

La volontà di Tea e di Milstein è legge. Dopotutto, anche per questo motivo lui ha lasciato la Waldau.

Parto per New York tra pochi giorni ed è tutto un preparare bagagli extralarge con quella malinconia propria dei lunghi viaggi, che puoi capire solo quando viene staccato a tuo nome un biglietto di sola andata. E sfiori ogni cosa dei luoghi che ami pensando *Non so se mai più tornerò per vivere qui.* Perché una cosa è transitare, altro è soggiornare, ma ben altro è vivere.

Prima della partenza, la signora Vittoria e io siamo riuscite a finire la veste da battesimo.

"È bellissima. Fortunato il bimbo che l'avrà," esclamo dopo aver cucito l'ultimo punto.

Gli occhi di Vittoria brillano per la gioia di aver creato dal nulla qualcosa di così incantevole.

"Non se ne trovano più di abiti così," mormora con orgoglio.

"Dovrebbe metterlo in vetrina."

"Oh, no, lo sciuperei."

"Allora lo tenga per sé."

Vittoria appare travolta dall'amarezza. "Mi ricorderebbe che di questo passo mio figlio non conoscerà mai l'allegria di un bambino per casa," dice, continuando a contemplare la veste con tenerezza. "C'era una donna, che per lui era tutto. Ma lei ha lasciato il terreno bruciato, ci vorrà tempo prima che possa rifiorire... e il momento giusto passerà." Mi chiedo se la signora Vittoria sia consapevole del male che mi fanno le sue parole. "Perché se anche lui si fosse imbattuto in una persona adatta a lui... che potesse tornare a coltivare quel terreno... Forse quella così brava giardiniera non lo aspetterà, e prenderà la sua strada." Sono certa che stia parlando di me, con me, con la delicatezza che le è propria. E infatti, non riesco a sentirmi a disagio, nonostante tutto. Ma non c'è altro da aggiungere, lo sappiamo entrambe.

Prende la più pregiata delle sue veline e incarta la veste con la cura maniacale di sempre. Appone un nastro di raso impicciando le dita più volte prima di ottenere il fiocco come lo desidera. Infine mi porge il pacchetto con un dolce sorriso sulle labbra sottili.

"Un regalo per te, cara Emma."

"Ma... signora Airoldi... io non ho a chi darlo. Che gran peccato."

"Il presente non è per sempre."

"Preferirei di gran lunga che questo abito andasse a un bimbo in carne e ossa, e non a un sogno."

"Be', niente è definitivo. Se un giorno sarai davvero sicura di non poterlo usare, sarai sempre in tempo a farne qualcos'altro."

Faccio per abbracciarla.

"Oh, no, tesoro. Grazie per il pensiero ma non siamo in un mélo!" mi frena ridendo. "Fa' buon viaggio, Emma."

37.

La tenace stagista e la solitudine degli aeroporti

A New York abito in una scatola per sardine e, tra l'altro, pago una cifra esorbitante. Ma vivo in uno dei cuori pulsanti del pianeta e questo rende assai più dolce la terra di mezzo, quel luogo ove ancora non si è a casa, ma neanche casa è più casa, e quindi non si appartiene più a nessun luogo.

Certo, se avessi accettato la valanga di soldi che una casa di produzione americana voleva offrirmi per i diritti di *Tenebre di bellezza*, avrei potuto consentirmi un'abitazione ben più spaziosa e lussuosa, nell'Upper East Side magari. Così il Metropolitan sarebbe stato a un passo e ancor più spesso avrei potuto far due chiacchiere con la *Principessa de Broglie* di Ingres. Io le dico che mi sento un po' sola e lei mi risponde *È normale, passerà*.

In questa città così dispersiva i cupcake non sono poi tutto questo granché, fa parecchio freddo, la metro è sovraffollata e spesso perdo il treno e non solo quello, perché mi perdo nel flusso di gente che va da qualche parte mentre io devo andare solo al lavoro e mi manca tutto il resto... in questa grande città mangio troppo cibo cinese e l'arte è la mia compagnia.

Il giorno della partenza, mentre mi aggiravo per Fiumicino tra le boutique senza comprare nulla bevendo una Coca Light presa al McDonald's, ho ricevuto una telefonata da un tale che si proponeva per diventare il mio agente in qualità di erede di Tameyoshi Tessai. Mi disse che presto ne avrei avuto bisogno. Ho preso tempo, mi sentivo confusa. Chissà quanto mi avrebbe considerato matta al pensiero che quei diritti stavo per regalarli e sono ancora in mio possesso poiché il destinatario ha scelto di comportarsi da vero galantuomo. Un altro li avrebbe presi e via. *E chi se ne importa se lei ci perde.* Per questa ragione io lo stimo anche se soffro, soffro molto perché lui deve aver capito ogni cosa, perché lo dicevano anche gli antichi che l'amore è come la tosse e non si può nascondere. E tuttavia, quell'amore che prorompeva senza che riuscissi a contenerlo lui ha fatto finta di non vederlo, e a me è rimasto solo un abbraccio che avrei voluto non finisse mai.

Quando poi ero nel finger tra l'imbarco e l'aereo ho ricevuto un'altra telefonata.

"Non ha un agente?" chiedeva la signorina con voce frivola e accento inglese davvero molto marcato, dopo un preambolo piuttosto lungo di cui ho colto la metà del contenuto perché nel frattempo dall'altoparlante giungevano le ultime chiamate per i passeggeri ritardatari.

"No."

"Ecco... che cosa singolare. Be', in ogni caso, signorina De Tessent, la Clovermind desidera farle pervenire una proposta economica per l'opzione dei diritti del libro *Tenebre di bellezza* di Tameyoshi Tessai."

Non so bene come e perché nel giro di poche ore si sia sparsa la voce che sono io l'erede, e credo anche che offerte così ne riceverò parecchie, il che in effetti è un paracadute di rimarchevole sostanza, pensare che in ogni caso, comunque vada la mia vita, possiedo pur sempre un'assicurazione. Anche se poi ho mille scrupoli a farne uso, ma questo è un altro discorso.

Subito dopo sono partita e tra me e la mia vecchia vita ho messo un intero oceano. Ho richiamato quel tizio dopo aver scoperto che è un agente tra i più seri e accreditati e gli ho dato mandato di rifiutare.

"Ma ne è proprio sicura?"

"Assolutamente," ho risposto e finora non me ne sono pentita.

Il nuovo ufficio alla sede newyorkese della Waldau ricorda molto quello romano. Il capo è il francese che soffiò il posto a Scalzi quando Manzelli si era momentaneamente accaparrato madame Aubegny. È una persona cordiale con cui è piacevole fare squadra. Siamo gli unici europei, per il resto l'ufficio è composto da americani desiderosi di realizzare una sintesi tra sensibilità occidentale e gusto a stelle e strisce, il che è decisamente stimolante. Lavoro ascoltando Ella Fitzgerald e bevendo caffè lungo. È capitato che un collega mi invitasse per un drink dopo il lavoro ed è stato piacevole, ma quella sensazione di non appartenenza tornava a riempire il mio cuore e le sue sponde lambite dalle gelide acque della nostalgia.

Vivo in un passato fatto di ricordi sempre più cristallizzati e in attesa di un futuro carico di promesse. Ma il presente è fatto di ombre, di strane alternanze di euforia e tristezza. E la principessa de Broglie ha un bel dire che passerà. Che fregatura, però, che non sappia dirmi quando.

UN ANNO DOPO

"Quello che vedi davanti a te, amico mio, è
il risultato di una vita di cioccolato."

KATHARINE HEPBURN

Vivevo a New York già da un anno quando il mio agente mi ha chiamata per rendermi nota l'ennesima proposta per l'opzione dei diritti di *Tenebre di bellezza*.

"Signorina De Tessent, dovrà pur decidersi a farne qualcosa. Possiede un patrimonio, non ha senso lasciare che resti virtuale."

Questa volta l'offerta arriva da una casa molto giovane – mi ha avvisata, con un tono un po' scettico, pronto a sentire l'ennesimo rifiuto – che è stata fondata però da due produttori di grande esperienza. Si è già distinta per la produzione di film molto originali e chic, molto francesi, accolti con discreto calore sia dal pubblico sia dalla critica. Una casa di produzione emergente, contesa dai distributori e al momento decisamente alla moda. Sì, risponde alla mia domanda, i due produttori sono Pietro Scalzi e Luc Montand.

"Ah, davvero? Questa volta le interessa?" Il mio agente era esterrefatto. "Ma è l'offerta più bassa che abbiamo ricevuto!"

"Non è questo il punto. C'è una condizione, però: voglio parlare con Pietro Scalzi in persona."

"Organizzo immediatamente."

Nell'attesa di quell'"immediatamente", il mio cuore sperimentò un cardiopalmo senza precedenti.

In tutti quei mesi – in cui in Italia non ero mai voluta tornare perché la distanza era la condizione essenziale alla mia serenità – avevo sentito Scalzi solo una volta: mi aveva avvisata di un malore della madre risoltosi per fortuna in brevissimo tempo. In quell'occasione aveva chiesto di New York e del mio capo concordando sulle sue qualità ma anche sui suoi limiti e mi aveva parlato un po' di quanto fosse carico di energia e di idee per la nuova casa di produzione. Era stato bello sentirlo, talmente bello che in quel preciso momento di una giornata di aprile tutto fu bello e perfetto e sono certa che, se tra noi non ci fosse stato di mezzo un oceano, magari ci saremmo rivisti evitando il telefono, e naturalmente sarebbe stato ancora tanto più bello da poterlo solo sognare. Poi ci siamo ripromessi di sentirci ancora, certo, perché no? Ma non è mai più successo e adesso trovo inconcepibile se non offensivo che l'offerta arrivi attraverso un agente. Inconcepibile.

La telefonata giunse "immediatamente", e non ne fui troppo sorpresa. Ma ciò che davvero mi spiazzò fu saperlo a New York, sentirgli dire "Vediamoci, adesso" e pensare con un po' di sconforto che, tutto sommato, avrebbe potuto farsi vivo anche prima.

Ci siamo incontrati davanti alla Public Library. Un afroamericano suonava con la tromba un motivetto molto malinconico e l'aria era più freddina di quanto non immaginassi quando ero nel chiuso del mio ufficio con il riscaldamento a palla. Sono uscita di gran corsa lasciando in tronco il lavoro senza dare spiegazioni e i colleghi si sono anche un po' preoccupati perché non è proprio da me, abituata a stare incollata alla scrivania e a rinunciare alla pausa pranzo perché tanto non ho nessuno da incontrare.

Lui si è avvicinato con un sorriso che era evidentemente un ramoscello d'ulivo. Il volto vichingo da capitano di una nave rompighiaccio, il solito cappotto di tweed, i capelli lunghi e vagamente incolti. Mi ha salutata con una carezza sulla guancia ma qualcosa, un impulso feroce, un presagio di disfatta, mi ha fatto indietreggiare e chiedere perché.

Perché, che cavolo, perché?

"Cosa le ho fatto? Perché comprare con tanta freddezza quello che io ero pronta a donarle?" La risposta è in sé ovvia, ma è giunta l'ora che lo dica una volta per tutte, quel *Non ti voglio*, quel *Non ti ricambio* che non ha mai pronunciato ma che io sento. Se lo facesse, magari smetterei di pensarci.

Lui ha l'aria disorientata di chi viene travolto da un'onda, ma reagisce con flemma. "Perché lei aveva tutto da perdere e io tutto da guadagnare: era una disparità inaccettabile. Non le sembra una ragione sufficiente?"

"E adesso accetta la disparità?"

"Adesso non esiste nessuna disparità. La mia posizione è cambiata e non le sto chiedendo nulla in regalo."

"Quanto sarebbe stato più semplice se solo lei mi avesse chiamata, senza che fossi io a chiederlo. Con così tanta freddezza..." mi trovo a ripetere, un po' con rabbia, un po' con costernazione.

Lui è rimasto in silenzio a lungo prima di dire: "Mi dispiace". Con forza e anche con un filo di struggimento, come se si scusasse di molte altre cose. E infatti lo ha ripetuto. "Mi dispiace, Emma, mi dispiace, mi dispiace, mi dispiace. Avrei fatto carte false per non farti partire." E poi non ha detto altro, si è ricomposto all'istante e, per conto mio, ho solo risposto che le carte false erano superflue, sarebbe bastato chiedermi di restare e io, semplicemente, l'avrei fatto.

In quel momento non ci sarebbe stato bisogno d'altro se non di un abbraccio, o meglio ancora di un bacio. Avrei capito ogni cosa senza che lui dovesse spiegarla.

Eppure non mi spiego la ragione per cui noi esseri umani tendiamo sempre a complicare le nostre azioni, ad ammantare i sentimenti più semplici di orpelli e retrosignificati del tutto inutili. A volte, nei momenti più complicati, basterebbe seguire l'istinto e fare la cosa più semplice. Ma no, il Produttore quel gesto che tanto desideravo non l'ha fatto... e allora l'ho fatto io.

Ma non per questo è stato meno forte. Anzi, c'era tanta fierezza, ma proprio tanta, nell'aver trovato il coraggio di prendere qualcosa per me, solo per me, smettendo di aspettare che fosse lui ad agire e accettando il rischio che restasse l'unica volta.

Al musicista con la tromba si era intanto affiancato un uomo con un tamburo, e una ragazza aveva iniziato a cantare una canzone che ho dimenticato ma ricordo benissimo che aveva una voce calda e leggerissima. È stato un momento semplicemente perfetto.

Poi però sono dovuta rientrare al lavoro. Il cuore era una farfalla svolazzante e non avevo voglia di combinare niente e la parte ansiosa di me mi tormentava, *Finirà tutto qui, vedrai.*

Ma aveva torto e, al contrario di altre volte, dopo quel giorno, il Produttore e io ci siamo riparlati ancora, ancora, ancora.

E non abbiamo ancora smesso.

Il lieto fine della tenace stagista

Dando un congruo preavviso, ho chiesto a Rudolph Milstein di essere reintegrata nella sede romana, in qualunque posizione lui ritenesse opportuna. Tea – che come prevedevo è stata collocata al posto del Produttore – ha scalpitato un po', ma poi, una volta tornata, le ho presentato Maria Giulia, infelicemente prossima alla disoccupazione per via della crisi nera della Fairmont. Lei e Tea si sono piaciute subito. Forse si sono riconosciute perché sono le ultime due al mondo a usare quel profumo tossico che mi fa venire l'emicrania. E così, portandosi dietro anche il promesso sposo, a New York ci è finita Maria Giulia.

A pomeriggi alterni, uscita dal lavoro, mi regalo un'oretta di sartoria. Si è unita anche mia madre, che è bravissima con i ferri e sforna piccoli cardigan che le madri romane patite dei pezzi unici comprano a peso d'oro.

Ho accettato la proposta economica del Produttore senza alcuna trattativa, il che ha parecchio urtato il mio agente che, intascato il suo 20%, mi ha dato della pazza e non si è più fatto sentire per un bel po'. Ma non ho mai rimpianto la scelta perché il Produttore – nonostante tutto continuo a chiamarlo così – ha realizzato il film di *Tenebre di bellezza* nel modo in cui l'ho sempre creduto capace. Il ricavato è servito da caparra per il villino dei glicini in via Oriani. La restante somma la paga la banca con un mutuo abbastanza oneroso e alla fine del mese, ogni mese, arranco non poco. Ma mi piace pensare che Tessai sia felice per me e che approvi quel che per me è "grande".

Certo, è una dimora un po' troppo spaziosa per una persona che abita da sola. Ma ho spesso qui le Nipoti ed è bellissimo, esattamente come lo immaginavo, vederle giocare nel mio giardino. Così come è bellissimo aspettare che ogni marzo i glicini tornino a fiorire.

Vivo da sola, ma non sono da sola. E c'è una grande differenza. In questo esatto momento in banca ho solo quattordici euro, ma non è la fine del mondo. Molte cose stanno per cambiare di nuovo, e – come del resto il più delle volte – in meglio.

"...quando eravamo molto poveri e molto felici."
ERNEST HEMINGWAY

Ringraziamenti

Per la stesura di questo romanzo, l'autrice è profondamente grata:

– a Stefano, Eloisa e Bianca, vera ricchezza;
– a mamma, nonna Anna e alla suocera Grazia per il sostegno concreto;
– a Rita Vivian ora et semper;
– alla casa editrice Feltrinelli per l'accoglienza a bordo;
– a Ricciarda Barbieri per aver tanto amato Emma, e a Donatella Berasi, che ha saputo rendere speciale un'affinità già decisa dalle stelle;
– a Giuseppe Catozzella, artefice di una felice opportunità;
– a Jane Austen e a Virginia Woolf;
– alla trasposizione televisiva di *North and South* della Bbc;
– a Michela, lei sa il perché;
– ad Amalia, Maria Grazia, Valeria e Laura, amiche di sempre;
– a Edvige Liotta, finestra nel mondo del cinema, di grande aiuto nel costruire dopo giorni e giorni di demolizioni;
– a Cristina Cassar Scalia, per l'affettuosa vicinanza;
– alle vernici Benjamin Moore per aver inconsapevolmente fornito lo spunto per alcuni dei colori citati.

Indice

11 1. La tenace stagista

15 2. I piccoli piaceri della tenace stagista

21 3. L'assurda serata della tenace stagista

28 4. Le sagge Nipoti della tenace stagista

33 5. Il tremendo giorno della tenace stagista

40 6. La tenace stagista raschia il fondo del barile

46 7. La tenace stagista resiste alle intemperie

52 8. La tenace stagista e il Produttore

58 9. La tenace stagista coglie una sorprendente opportunità

62 10. La tenace stagista alla fiera della vanità

67 11. La tenace stagista fa i conti con il passato

73 12. La tenace stagista nei ricordi di Tameyoshi Tessai

79 13. La tenace stagista si reinventa dog-sitter

85 14. La tenace stagista e il segreto intrappolato fra le maglie del tempo

90 15. La tenace stagista e il disperato bisogno di sentire

97 16. La tenace stagista e il richiamo all'ovile

105 17. Il misterioso magnetismo personale del Produttore

111 18. Un gelato al Pincio, la tenace stagista e lo scrittore zen

116 19. La tenace stagista e i voltagabbana

121 20. La tenace stagista e il garden party

126 21. I dilemmi esistenziali della tenace stagista

130 22. Le verità di Marina De Tessent

136 23. La tenace stagista si scopre coraggiosa

142 24. La tenace stagista e le eterne ripartenze

148 25. Le tribolazioni della tenace stagista non hanno mai fine

154 26. La tenace stagista e *Il codice della pioggia*

160 27. La tenace stagista si specchia nel passato

166 28. La tenace stagista e i problemi di budget

169 29. La tenace stagista è una sorella felice

172 30. Il cuore piangente della tenace stagista

176 31. La tenace stagista e le sorti del Produttore

181 32. Un regalo per la tenace stagista

186 33. La tenace stagista e il perché delle cose

190 34. La tenace stagista e le nuove aperture

196 35. La tenace stagista e Tea, Faust e Mefistofele

202 36. Perché hai lasciato la mia mano?

207 37. La tenace stagista e la solitudine degli aeroporti

211 UN ANNO DOPO

217 Il lieto fine della tenace stagista